# Contenido

# Contenido

Este libro de historias breves para leer contiene 17 narraciones cortas. Han sido escritas especialmente para estudiantes de español como lengua extranjera, con conocimientos equivalentes a un nivel avanzado. Se supone, por tanto, que el lector conoce, entre otras cosas, el presente y el imperfecto de subjuntivo.

Las historias, que son independientes entre sí, presentan diversos temas y ambientes a fin de ofrecer al estudiante una amplia variación de léxico y de contenidos gramaticales y funcionales.

Al final de cada historia se propone una serie de tareas. Algunas tienen una sola respuesta posible y la solución se encuentra al final del libro, en las páginas 112-116. Otras, de carácter más creativo, deben realizarse en grupo, bajo la dirección del profesor (o de la profesora).

En las páginas 117-127 se incluye un glosario que, por orden alfabético, recoge —con traducción al inglés— los términos menos frecuentes y que suponemos menos familiares para el lector.

Recomendamos al estudiante que trate de comprender lo esencial de las historias, sin recurrir al glosario. Es mejor que lea primero todo el texto y que trate luego de adivinar las palabras o expresiones que no entienda, con ayuda del contexto. Después, en una segunda lectura, puede consultar el glosario o, si lo prefiere un diccionario.

JOAQUÍN MASOLIVER

# LA FORASTERA

Galgao es un pequeño pueblo gallego, rodeado de montañas. La vida es aquí muy tranquila. Todos los jóvenes han emigrado a la ciudad. Casi no hay mujeres. No hay niños ni jóvenes. Todos los habitantes viven del campo o de la pensión. Es un pueblo que muere lentamente.

Todos los días, por la tarde, después de comer, los hombres se reúnen en el único bar. Es un local pequeño, oscuro, con media docena de mesas de madera, una barra de mármol y un aparato de radio viejo. Debe de haber unas diez o doce personas. Nadie tiene menos de setenta años. Unos juegan a las cartas, otros al dominó. Alguno lee el diario. Toman coñac, café o las dos cosas. Fuman mucho.

Al entrar se saludan con frases cortas. "Hola, Manolo", "¿Qué hay, Fraga?", "Buen día". Luego ya nadie dice nada más. Casi no hablan. ¡Se han visto tantas veces! ¡Tantos años juntos en el pueblo! Ya lo han dicho todo, ya lo han discutido todo. No hay escándalos para comentar. No ocurre nada. No hay vida. A veces alguien lee en voz alta los titulares del periódico: "Ningún partido quiere adelantar las elecciones", "Doscientos muertos en un accidente de aviación", pero nadie lo comenta. Quizás alguien dice "Ah". Nada más. Las grandes noticias tampoco son tema de conversación. No se oye más que el ruido de las fichas de dominó que chocan contra la madera de las mesas y la radio.

Un día de verano, mientras están así juntos, en silencio, se abre la puerta. Entra una mujer rubia de mediana edad. Es alta y esbelta. Tiene la nariz muy fina y los ojos grandes, de color azul claro. El pelo largo y bien cuidado le cae por la espalda. Se sienta junto a la entrada. Lleva un vestido de color rojo intenso y un sombrero blanco que le da un aire elegante y enigmático.

Los hombres la miran con curiosidad, pero no dicen nada. Ella pide un café con leche. Lo toma. Después se va. Al día siguiente ocurre lo mismo, y al otro día igual...

El cuarto día saca un diminuto móvil del bolso y lo pone discretamente sobre la mesa. Lo mira atentamente, pulsa unos botones y se lo acerca al oído. El aparato emite unos sonidos que apenas se pueden oír desde las otras mesas. Lo vuelve a poner en el bolso, se levanta y sale. Parece preocupada.

Durante más de dos semanas, todos los días hay en el café la misma escena. Y nadie dice nada. Pero a los hombres parece que les gusta verla allí, porque empiezan a ir al café un poco más pronto. Alguno de los hombres se ha puesto la ropa de los domingos. Ellos juegan a las cartas, toman su copita de coñac o su café. Luego llega la señora y toma su café con leche. Ahora ella al entrar ,dice "Buenas tardes" y al salir, "Adiós, buenas tardes". Y ellos contestan igual, con una sonrisa amable y cariñosa.

Si alguna vez ella se retrasa, los hombres preguntan nerviosos "¿No la habéis visto? ¿todavía no ha venido?".

De repente, un día, la señora deja de venir. Los hombres notan su ausencia. Parecen un poco nerviosos. ¿Quién era aquella señora? ¿Qué hacía en aquel pueblo? Hablan, discuten, buscan una explicación...

—*Yo creo* —dice uno— *que aquella señora era la mujer de Vargas, aquel que fue a trabajar a Bruselas hace muchos años.*

—*No, hombre, no* —contesta otro—. *Debía de ser una turista que quería comprar una casa. Ahora está de moda comprar casas antiguas, casas de piedra. Yo creo que...*

—*Pero, ¿qué decís?* –exclama un tercero—. *Esta mujer había venido sólo a descansar. En la ciudad ya lo tienen todo y se aburren.*

—*Y, ¿por qué vino aquí, a un pueblo que no tiene nada? Hay otros sitios para ir, ¿no?*

—*Era la hija del Marqués...*

—*Tenía tipo de modelo. Me parece que la he visto en la tele.*

—*Con estas mujeres hay que tener mucho cuidado, ¡eh! Son el diablo.*

—*No estoy de acuerdo...*

—*Ninguno de vosotros tiene razón...*

—*Os equivocáis. No es eso...*

—*¡Qué barbaridad! Pero si está clarísimo. Yo vi que tenía una máquina de estas de hacer cine. Había venido a ver el pueblo para alguna película...*

—*Eso, para la televisión...*

Pasa el otoño y el invierno. Cuando llega la primavera los viejos en el bar todavía están hablando de aquella mujer, buscando una explicación a su visita. Ya no hay silencio.

## A. Unos verbos

Complete los siguientes diálogos con la forma adecuada, en presente de indicativo, de alguno de estos verbos: *jugar, poder, volver, sentarse.*

1. —*Los señores en el bar* ..................................... *a las cartas.*
   —*¿Tú también* ..................................... *?*
   —*No, yo no* ..................................... *.*

2. —*¿Vosotros* ..................................... *oír lo que dice la señora?*
   —*No, no* ..................................... *oír nada.*
   —*Pues, yo sí* ..................................... *oír algo.*

3. —*¿A qué hora* ..................................... *a su casa usted?*
   —*Hoy* ..................................... *tarde.*
   —*Pues, nosotros* ..................................... *siempre pronto.*

4. —*¿Dónde* ..................................... *tú?*
   —*Yo* ..................................... *en el sofá.*
   —*¿Y vosotros, dónde* ..................................... *?*
   —*Nosotros no* ..................................... *.*


## B. Complete las frases

Complete las frases con alguna de las expresiones que hay en la bolsa.

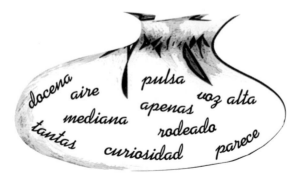

docena   aire   pulsa   voz alta   apenas   mediana   rodeado   tantas   curiosidad   parece

1. El pueblo está ..................................... de montañas.
2. En el bar hay media ..................................... de mesas.
3. ¡Los hombres se han visto ..................................... veces!
4. Un señor lee el periódico en ..................................... .
5. Entra una mujer de ..................................... edad.
6. El sombrero le da un ..................................... enigmático.
7. Los hombres le miran con ..................................... .
8. La señora ..................................... unos botones.
9. El sonido ..................................... se puede oír.
10. La mujer ..................................... preocupada.
11. Un día la señora ..................................... venir.

## C. Indefinidos

Complete las siguientes frases con alguna de estas formas indefinidas: *algo, nada, alguien, nadie, algún, alguna, algunos, ningún, ninguno, ninguna.*

1. *En el pueblo todos son mayores, ..................................... tiene menos de 70 años.*
2. *Los hombres no dicen ..................................... .*
3. *En mi calle no hay ..................................... restaurante.*
4. *—Aquí no hay gente. ¿Hay ..................................... en el bar?*
   *—No, no hay ..................................... .*
5. *—¿Tienes ..................................... libro sobre Picasso?*
   *—No, no tengo ..................................... .*
6. *—Tengo hambre. ¿Tienes ..................................... para comer?*
   *—En la nevera hay ..................................... bocadillo.*
7. *..................................... hombres han hablado con la señora.*
8. *No tengo ..................................... botella de plástico.*
9. *—¿Hay ..................................... chica que se llama Soledad?*

## D. Busque la expresión

Busque en el texto las expresiones que significan lo mismo que las cusrivas en estas frases.

1. El pueblo se vacía *lentamente*.
2. En el bar *hay posiblemente* unas 10 personas.
3. *Sólo se oye* el sonido del teléfono.
4. Desde mi casa *casi no* se ve el mar.
5. Después de comer el señor *pone otra vez* el periódico en la cartera.
6. Los hombres *cuando entran* saludan a la mujer.

## E. Escriba la carta

La mujer escribe una carta (una postal o un correo electrónico) a una amiga y le cuenta su visita al pueblo, por qué ha ido allí, qué ha hecho, qué ha visto, cómo es la gente, etc. Invente esta carta con los datos que proporciona la lectura.

## F. ¿Qué opina usted?

¿Qué diferencias hay entre vivir en un pueblo y en una ciudad? ¿Qué experiencias tiene usted? ¿Qué le gusta más? ¿Por qué?

Escriba sus opiniones o converse con un compañero o compañera y escriban un resumen y presenten después sus opiniones al resto de la clase.

# Vida de perro

Esta historia no la he vivido yo personalmente. Me la contó un amigo que trabajaba, hace ya muchos años, en "La Codorniz". Era una famosa revista de humor española y que yo sepa ya no existe.

Me contó que un pariente suyo, Anselmo Herrero, un coronel retirado, y su esposa Mercedes salían de un elegante restaurante sevillano el día de Nochebuena. Hacía mucho frío. Caminaban con pasos rápidos por el paseo de Colón, a orillas del río Guadalquivir. Pasaron por delante de la Torre del Oro.

Al pie del edificio, sobre los adoquines, vieron lo mismo que habían visto casi cada día durante una semana: un perro de finísima raza,

13

mojado y sucio. Era un setter irlandés, esbelto, que parecía estar durmiendo.

—*Mira, Mercedes* —dijo el marido— *, es la cuarta vez que vemos aquí a este pobre animal. Debe de haber perdido a su dueño. Aquí es imposible que encuentre comida. ¡Tan pobre y tan sucio! Da pena.*

—*Debe de sufrir mucho, el pobre* —contestó ella, triste—. *No puede moverse por el hambre y por el frío.*

—*Sí, quizás no haya comido nada desde hace días. Y ha estado todo el tiempo mojado. Debe de estar enfermo.*

—*Se ve que es un perro de buena raza y que ha sido de alguna familia rica que lo ha cuidado muy bien, quizás de algunos turistas que ya no están en Sevilla. Y, ahora, ¡cómo debe de sufrir! ¡El día de Nochebuena!.* El marido se llevó la mano al bolsillo.

—*Yo creo* —dijo— *que si lo matáramos, haríamos un acto piadoso.*

—*Sí* —dijo ella—. *Es lo que se llama eutanasia, ¿no?*

—*Exacto. Es doloroso, pero es necesario...*

—*¿Te atreves?*

—*Si es por hacer un bien.*

Ella se tapó los oídos y volvió la mirada hacia la Giralda, que se veía iluminada, no lejos de allí. Sonó un disparo...

Unos segundos antes del disparo este setter irlandés estaba recordando que aquella misma noche se había encontrado al pie de la Giralda con otro perro, un fox-terrier, viejo amigo suyo. Mientras, sentados, veían pasar a la gente que iba a la Misa del Gallo de la catedral, se contaban sus aventuras.

—*¿Qué haces tú por aquí? Hace tiempo que no te veía. ¿Cómo es que estás solo? ¿Ya no te acompaña tu criado?* —le preguntó el fox-terrier.

—*Ay, chico. Al fin he dejado aquella vida artificial y consumista en el palacio de la marquesa de Casablanca. Aquella vida no la podía soportar. Tenía un criado sólo para mí, dormía sobre cojines de seda en aquella casa con alfombras persas y muebles de la época de Felipe II. No me faltaba nada, pero me obligaban a comer tanto que casi no podía caminar de gordo que estaba. Cuando mi criado me llevaba a pasear no me dejaba acercarme a otros perros..., y de las perras, ¡ni hablar! Al fin, cansado de aquella vida, me escapé, y aquí me ves.*

El fox-terrier escuchaba con mucha atención. Se sentó un poco más cerca para oír mejor.

—*Ahora llevo una vida más interesante* —continuó el setter, mientras se rascaba con elegancia, detrás de la oreja—. *¡Hasta puedo distraerme matando mis propias pulgas! Prefiero esto a aquellos polvos insecticidas que me mareaban. Puedo sentir la emoción de robar una costilla a un carnicero y me excita también el riesgo de poder ser atrapado por el perrero en cualquier momento. No me molesta ya el collar, ni aquel nombre cursi que me pusieron mis dueños. Puedo vomitar sin tener que dar explicaciones al veterinario y puedo dejar crecer mi pelo e ir sucio sin tener que ir al peluquero y sin tener que soportar aquellos jabones franceses tan malolientes. Con esta vida libre, independiente y pobre he encontrado finalmente la felicidad. Soy un perro feliz.*

El disparó sacó al setter de su ensimismamiento. Era un animal de reflejos rápidos. Por suerte para él (y para los "piadosos" parientes de aquel amigo mío), el coronel falló el disparo, el perro saltó al río, lo cruzó a nado, y salvó de esta forma su vida.

## A. Posesivos

Complete los diálogos con la forma adecuada del posesivo (*mi, mío, etc.*).

1. —*Oye, Juan, mi perro se llama "Loco". ¿Cómo se llama el*
   ..........................................?
   —*El .......................................... se llama "Can". ¿Te gusta el nombre?*
   —*Me gusta más el de .......................................... perro.*

2. —*Hola, chicos. ¿Cómo están .......................................... padres?*
   —*Bien, gracias. Bueno, mi padre está un poco cansado y el de Pedro no está aquí. El .......................................... está en Sevilla.*

3. —*Señores, son .......................................... estos perros?*
   —*No, no son .......................................... . No tenemos perros.*

4. —*Tu casa es muy bonita.*
   —*Pues, chica, la .......................................... es mucho mejor.*
   —*¿De verdad, te gusta la .......................................... ?*

5. —*Ahora estoy sola porque .......................................... hija se ha ido a México.*
   —*Pues, la .......................................... ha estado fuera todo el año. Está acabando .......................................... estudios en Londres.*

## B. Pronombres reflexivos

Complete el diálogo con el pronombre reflexivo adecuado.

—*¿Dónde ..................(1)...................... siento?*
—*Por favor, señora, siénte..................(2)...................... en la silla. ¿Cómo ..................(3)...................... llama?*
—*..................(4)...........llamo Mercedes García.*

16

—Es verdad. ¿A qué hora ..................(5)..................... levanta?

—Mi marido y yo ..................(6)..................... levantamos siempre temprano. Luego .....................(7)................... duchamos y salimos a pasear.

—Muy bien.

—Ah, y ..................(8)......................... acostamos tarde.

—Entonces, pueden dormir en la habitación que da al patio. Es porque nuestros clientes ...................(9)..................... reúnen en el patio, pero hoy por la tarde no van a estar porque ..................(10)................... marchan de aquí.

—Perfecto.


## C.  ¿Qué palabra falta?

Complete las frases con la palabra que falta. (Entre paréntesis hay una explicación o un sinónimo).

1. *La guerra yo no la he vivido* ................................ (Yo mismo)
2. *Anselmo es un coronel* .................................... (Ya no trabaja)
3. *Eso ocurrió el día de* ................................ (El 24 de diciembre)
4. *El paseo está a* ..................................... *del río.* (Al lado, junto)
5. *El perro estaba a*l ................................ *del edificio.* (En la parte de abajo)
6. *El perro estaba* ................................ (Lo contrario de "seco".)
7. *Ella se tapó los*...................................., *para no oír el disparo.*
8. *La Giralda estaba* ......................................... (Con luz)
9. *El criado* ...................... *al perro a pasear.* (Va con él y le hace compañía)
10. *La marquesa vive en un* ................................ (Una casa enorme, donde viven los príncipes y los reyes).
11. *El perro está sucio y tiene* ...................... (Pequeños parásitos).
12. *El perro va al* ......................................... (Médico de animales).

## D. Verbo *dormir*

Complete el diálogo con la forma adecuada del verbo *dormir*.

—*¿Por qué no está aquí su mujer?*
—*Es que ahora ...(1)... la siesta.*
—*Normalmente ¿...(2)... muchas horas ustedes?*
—*Mi mujer y yo ...(3)... poco, creo. Bueno, depende. Ayer, por ejemplo, ella ...(4)... unas ocho horas, pero yo ...(5)... sólo seis.*
—*Bueno, pues les digo una cosa a los dos, ...(6)... ocho horas.*

## E. Cuente la historia

El perro ha visto al coronel y a su esposa durante varios días. Después de oír el disparo, desde el otro lado del río, empieza a creer que los señores querían matarlo porque pensaban que era un perro abandonado. El perro, poco más tarde, conoce a una perra y le cuenta su vida y lo que él imagina sobre el coronel y su esposa.

Cuente usted esta historia.

## F. ¿Qué opina usted?

¿Es usted consumista? ¿Le gusta gastar mucho y vivir cómodamente? ¿O quiere vivir austeramente? ¿Qué tipo de vida le gusta?

Comente con sus compañeros qué tipo de vida le gustaría vivir y por qué.

# EL CHORIZO

Había una vez, en un pueblo de Castilla, un perro y un gato que vivían en una casa de campo y se pasaban el día y la noche fuera, en el jardín. Un día los dueños de la casa dejaron la puerta abierta.

—Mira —le dijo el perro al gato—, *la puerta está abierta. ¿Entramos?*

Los dos animales entraron en la cocina. Era una habitación muy grande y aunque era verano dentro hacía fresco. Encima de una gran mesa había un suculento chorizo. El perro lo vio y le dijo al gato:

—*Mira qué chorizo tan grande hay encima de la mesa. ¡Qué color más bonito tiene!*

El gato saltó sobre la mesa, y con las patas lo hizo caer al suelo. El perro lo cogió entre sus dientes y se lo quiso llevar para comérselo él solo. El gato, naturalmente, protestó:

—*¿Qué haces? Es mío. Yo lo he hecho caer* —dijo.

—*Pero yo lo he visto y yo lo he cogido. Así que es mío* —respondió el perro.

Como los animales no tienen ni abogados ni tribunales estuvieron discutiendo largo rato.

—*¡Es mío!* —decía el gato.

—*No. ¡Es mío!* —gritaba el perro.

El ruido de la pelea despertó a un mono que estaba durmiendo tranquilamente, fuera de la cocina, a la sombra de un olivo. El mono, que no era muy grande pero era muy listo, entró en la cocina.

—*¿Qué pasa?* —preguntó—. *¿Qué ruido es éste? ¿Por qué se pelean ustedes?* (Los animales en España siempre se han tratado de usted, sobre todo los monos.)

El perro y el gato le contaron a gritos lo que había pasado.

—*Yo salté y lo hice caer al suelo* —dijo el gato.

—*Pues yo lo vi y lo cogí* —dijo el perro.

—*Nada* —dijo el mono—. *No sufran ustedes. Esto tiene fácil arreglo.*

El perro y el gato lo miraron con admiración y respeto. Entre los animales los monos tienen mucho prestigio porque todos piensan que ellos han aprendido mucho de los seres humanos.

—*Los dos tienen derecho* —continuó el mono—, *ya que los dos han hecho algo para conseguirlo. Yo les doy un buen consejo: tienen que comérselo pronto. Si viene el hombre y ustedes siguen discutiendo, van a perder el chorizo y van a ganar un buen castigo.*

—*Es verdad* —respondieron el perro y el gato.

—*Miren ustedes* —siguió el mono— *,yo lo parto por la mitad y cada uno de ustedes se come una parte.*

—*¿Por qué no hemos pensado antes en esto nosotros mismos?* —preguntó el perro. Y quedó admirado de la inteligencia del mono.

El mono cogió un cuchillo y partió el chorizo en dos partes.

—*Esperen, que una ha quedado un poco más grande que la otra. Tienen que ser iguales, claro, porque ustedes dos tienen el mismo derecho* —dijo.

Para hacer justicia el mono comió un poco de la mitad más grande. Pero no quedaron iguales y el mono no quedó contento y comió un poco de la otra mitad. Fue comiendo un poco de cada parte, que nunca quedaban iguales y así desapareció todo el chorizo.

## A. Pretérito indefinido

Complete las frases con la forma adecuada del pretérito indefinido del mismo verbo que en las preguntas aparece en cursiva.

1. —¿*Has visto* a María?
   —Sí, la ......................................... ayer.

2. ¿Qué te *ha dicho* ella?
   —Me ......................................... que quiere hablar contigo.

3. —Chicos, ¿*habéis hecho* la cena?
   —Nosotros ya la ......................................... hace dos días.

4. —¿No *quiere* ir al cine Pedro?
   —Ayer ......................................... ir, pero hoy no puede.

5. —¿Qué *dice* María de la casa? ¿La *ha visto*?
   —Sí, la ......................................... el otro día y .........................
   que le encanta.

6. —¿Pedro *está* en casa de su madre?
   —No, pero ayer ......................................... casi toda la mañana.

7. —¿No *ven* la película de la tele las niñas?
   —No, ya la ......................................... hace poco en el cine.

8. —¿*Hace* frío?
   —No mucho. Ayer ......................................... más.

## B. Dos pronombres

Complete las frases con los pronombres que faltan, como en el modelo.

El chorizo tienen que comér*selo* pronto los animales.

1. *El libro tienes que dár*.......................... *a Juan.*
2. *El chorizo tienes que dár*.......................... *a mí.*
3. *Los refrescos tienes que dár*.......................... *a los niños.*
4. *La carta tienes que enviár*.......................... *a la directora.*
5. *Las naranjas tienes que comér*.......................... *tú.*
6. *Los euros tienes que dár*.......................... *a nosotros.*
7. *El ordenador tienes que quedár*.......................... *tú.*
8. *El periódico tiene que comprár*.......................... *usted.*

## C. Conteste a las preguntas

Responde las siguientes preguntas de acuerdo con la información dada en la lectura.

1. *El perro y el gato pasaban la noche fuera. ¿Cómo pudieron entrar en la casa?*
2. *¿Por qué pensaba el perro que el chorizo tenía que ser para él?*
3. *Y el gato, ¿por qué decía que tenía que ser para él?*
4. *¿Qué hacía el mono fuera de la cocina?*
5. *¿Cómo quería ayudar el mono al gato y al perro?*
6. *¿Qué hizo el mono? ¿Cómo acabó la historia?*

## D. Pretérito indefinido e imperfecto

Complete las frases con uno de los verbos de la bolsa. Use los verbos en pretérito indefinido y en al menos dos casos utilice el imperfecto.

1. *Los dueños ........................... la puerta abierta.*
2. *Dentro de la casa ........................... fresco.*
3. *Con las patas el gato ........................... caer al suelo el chorizo.*

4. *Los animales* ............................................ *discutiendo largo rato.*

5. *Mientras ellos discutían el mono* ........................................
   *tranquilamente.*

6. *El mono* ............................................ *un animal muy listo.*

7. *Cuando vio al mono el perro lo* .................................... *con*
   *admiración.*

8. *El mono* ............................................ *el chorizo en dos partes.*

9. *Al final, el perro y el gato no* ........................................ *conten-*
   *tos.*

## E. Cuente la historia

El mono se encuentra a unos amigos y les explica lo que ha pasado. Cuente usted la historia que contaría el mono.

## F. Recuerde una fábula

¿Conoce usted alguna fábula o alguna historia con animales?
Escríbala o cuéntesela a sus compañero.

# El adivino

En el pueblo decían que Marcelo Céspedes era capaz de adivinar el destino de las personas. Cuando le preguntaban que qué iba a pasar, él hablaba de forma enigmática y muy pocos le entendían. A pesar de ello, decían que siempre ocurría lo que él había predicho.

Desde que habían cerrado la fábrica de muebles en el pueblo quedaba muy poca gente. Los jóvenes se habían ido a la ciudad en busca de trabajo. Los que se habían quedado estaban jubilados, tenían tierras propias o algún pequeño negocio. Una docena de hombres —entre ellos Marcelo— trabajaban en la finca del marqués. Allí se producía el mejor vino de la comarca. El trabajo era cómodo y estaba bien pagado.

Después del trabajo los hombres se reunían en el bar para echar una partida de dominó. Aquellos días andaban algo preocupados porque habían oído que el marqués quería despedir a uno de ellos. Desde la muerte de su madre quedaron en la finca trece personas y como el marqués era un hombre muy supersticioso quería evitar este número. Los hombres comentaban preocupados su futuro. El último que había sido empleado era Marcelo Céspedes.

—*Dinos cómo acabará todo, Marcelo.*

—*Acabará en número par* —respondió Marcelo enigmático.

—*¿No puedes ser más claro?* —preguntó uno de los hombres.

—*La claridad, amigo, no es el lenguaje de los adivinos* —contestó él.

Marcelo era un hombre alto y delgado, que había pasado los cincuenta. Debía de tener ya muchas canas, pero para ocultar su edad se teñía el pelo con el mismo betún que usaba para los zapatos de color negro y cuando se pasaba la mano por la cabeza después dejaba una mancha oscura sobre el mármol de la mesa. Los demás le respetaban y hacían ver que no lo veían. Aún más entonces, ya que probablemente iba a perder su empleo.

Un día, poco antes de la hora de la comida, el marqués reunió a todos los hombres en uno de los salones de la casa. Todos comprendían sobre qué iba a hablarles. Marcelo estaba ya preparado para oír lo peor.

Para calmar los ánimos el marqués les invitó primero a un aperitivo. Sobre la mesa había unos platos con almendras, aceitunas y patatas fritas. Uno de los empleados sirvió unas copas de jerez. El marqués estaba muy serio. Les fue saludando uno a uno y conversó un poco con todos. A Marcelo le preguntó si le podía decir algo sobre el futuro.

—*Señor marqués...* —dijo Marcelo.

Los demás hombres dejaron de hablar para escucharle.

—*No sé si...* —continuó. Estaba inseguro. Se pasó la mano por la cabeza y la palma le quedó negra.

—*Algo puedes decir, ¿no?* —dijo el marqués.

—*Algo sí, claro. Pero quizás será demasiado fuerte para alguno de nosotros* —dijo Marcelo cerrando los ojos, con una expresión muy seria. El marqués no pudo resistir la curiosidad. Le dijo:

—*Cuenta, ¿qué ves del futuro?*

En aquel momento pasó un cuervo por delante de la ventana, que estaba abierta. Se posó en una rama del almendro y dio tres graznidos.

—*Sí. Veo una cosa, señor marqués...*

—*Dígala, por favor* —le pidió el patrón.

—*No sé si me atrevo* —dijo Marcelo mientras cerraba los ojos enigmático.

—*Por favor, diga lo que sabe. ¡Se lo ruego!* —el marqués no podía ocultar su curiosidad.

—*Pues, una cosa es bien segura...* —dijo Marcelo—. *Veo que yo haré un largo viaje...*

—*¿Un largo viaje? Entiendo, entiendo* —dijo impresionado el marqués. Y entendió que Marcelo hablaba de sí mismo, de que tendría que dejar el pueblo para buscar trabajo en otro lugar.

—*Sí* —continuó Marcelo mirando hacia el cuervo, que todavía estaba en el almendro— *,un viaje de tres horas...*

El marqués escuchaba atento. No se había equivocado. La ciudad estaba precisamente a tres horas de distancia.

—*Voy a tener que hacer un viaje de tres horas para venir a su entierro* —dijo Marcelo bajando la vista.

Los hombres estaban quietos, como si fueran de piedra. El marqués quedó impresionado. Estuvo un rato pensativo, en silencio, mirando hacia el suelo. Se acercó luego a Marcelo, le puso la mano sobre el hombro y le dijo muy amable:

—*Sabe una cosa, Marcelo, necesito a una persona en el despacho. Creo que es un buen trabajo para usted. Pero entonces tendría que vivir usted aquí en la finca, en el piso de arriba.*

Los hombres no se movían. Nadie se atrevió a decir nada. Todos miraban asombrados.

—*Tendremos que buscar a otra persona para trabajar en la viña* —continuó el marqués— *.Quizás alguno de vosotros me pueda recomendar a alguien.*

Desde entonces el marqués hizo todo lo posible para que Marcelo no se alejara.

# A. Palabras cruzadas

En las casillas con una cifra debes escribir una vocal. A cada una de las cinco cifras le corresponde una de las cinco vocales —la misma vocal para la misma cifra.

**HORIZONTALES:**

**1.** Interés por saber una cosa. **2.** Olivas. **3.** Echar a alguien de su trabajo. **4.** Árbol que da almendras. **5.** Bebida que se toma antes de comer. **6.** Cabello (pelo) blanco. **7.** Crema para limpiar los zapatos. **8.** Persona que adivina el futuro. **9.** Pájaro de mal agüero. **10.** Acción de enterrar. **11.** Piedra muy dura. **12.** Que no es o está seguro. **13.** Hablar a una persona en favor de otra para que la ayude.

**Hombre que cree, por ejemplo, que el número trece es peligroso.**

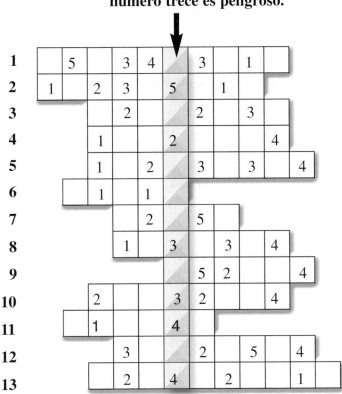

## B. Contrarios o antónimos

Coloque en la columna derecha los antónimos (contrarios) de las palabras que aparecen a la izquierda.

| | | |
|---|---|---|
| 1. | *incómodo* | a. ................................. |
| 2. | *dar empleo* | b. ................................. |
| 3. | *empezar* | c. ................................. |
| 4. | *impar* | d. ................................. |
| 5. | *oscuro* | e. ................................. |
| 6. | *gordo* | f. ................................. |
| 7. | *seguro* | g. ................................. |
| 8. | *abrir* | h. ................................. |
| 9. | *distraído* | i. ................................. |
| 10. | *subir* | j. ................................. |
| 11. | *alejarse* | k. ................................. |

## C. ¿Pretérito indefinido o imperfecto?

Complete las frases con la forma adecuada, en pasado, del verbo que está entre paréntesis.

1. *En el pueblo ...(decir)... que Marcelo ... (adivinar)... el futuro. Cuando le ...(preguntar)... algo él ...(hablar)... de forma enigmática y la gente no le ...(entender).... Siempre ...(ocurrir)... lo que él había predicho.*

2. *En el pueblo ...(quedar)... poca gente porque no ...(haber)...trabajo. Algunas personas ...(trabajar)... en la finca del marqués, que ......(ser)... un hombre muy supersticioso.*

3. *Un día el marqués ...(reunir)... a sus empleados, les ...(invitar)...a un aperitivo y ...(conversar)... con ellos.*

4. *Un cuervo ...(pasar)... por delante de la ventana, que ...(estar)... abierta y ...(dar)... tres graznidos.*

5. *Marcelo le ...(hablar)... al marqués sobre su futuro. El marqués ......(quedar)... impresionado y le ...(decir)... a Marcelo que ...(necesitar)... una persona más para la finca y que Marcelo podría trabajar en el despacho. De esta forma Marcelo no podría hacer nunca un viaje de tres horas y se cumplirían sus predicciones.*

# D. Complete las frases

Complete las oraciones con las palabras que faltan y que se encuentran en la lectura. Puede obtener ayuda consultando las explicaciones o los sinónimos de las palabras que faltan.

1. *Marcelo ..................................... de adivinar el futuro.*
2. *Siempre .......................................... lo que él había predicho.*
3. *En el pueblo ............................................. muy poca gente.*
4. *Los jóvenes fueron a la ciudad ..................................... de trabajo.*
5. *Algunos tenían tierras ..........................................*
6. *Los hombres se reunían para ..................................... una partida de dominó.*
7. *Los amigos ..................................... que no veían la mancha sobre el mármol.*
8. *Marcelo estaba preparado para ..........................................*
9. *Se pasó la mano sobre la cabeza y la palma ......................................... negra.*

Explicaciones o sinónimos
1. puede
2. pasaba, sucedía
3. había *(después de que los otros se hubiesen marchado)*
4. para buscar
5. que eran suyas *(de ellos)*
6. jugar
7. simulaban
8. oír una noticia muy mala
9. se puso *(manchó)* de color negro

## E. Futuro

Conteste a las preguntas usando en futuro el verbo que está en cursiva, como en el modelo.

>
> —¿Cuándo *acaban* la casa?
>
> —La ...*acabarán*... dentro de seis meses.

1.—¿No *dices* cuánto dinero has gastado?

—Te lo ......................................... más tarde.

2.—¿*Haces* tú el café?

—Sí, pero lo ......................................... en la cocina.

3.—¿*Tienes* móvil?

—Todavía no. Lo ......................................... la semana que viene.

4.—¿*Sabes* quién ha usado tu coche?

—Todavía no. Lo .........................................  pronto.

5.—¿A qué hora *vas* al medico?

—......................................... a las seis.

6.—Mañana hay una fiesta en el club. ¿*Quiere* ir tu hermano?

—Tiene mucho trabajo. No ......................................... ir.

7.—Te espero en mi casa. ¿*Puedes* venir?

—Lo siento, no ......................................... ir.

8.—¿*Vas* a Córdoba el domingo?

—No, ......................................... el martes.

## F. Cuente la historia

Marcelo se encuentra a un amigo y le explica lo que ha ocurrido. Cuente usted esta historia.

# G. ¿Es usted supersticioso?

Las personas supersticiosas creen, por ejemplo, que si pasan por debajo de una escalera pueden tener mala suerte. ¿Conoce usted otras supersticiones?

Escriba alguna de sus experiencias, dé su opinión o comente el tema con sus compañeros.

# La tía AURELIA

Por la ventanilla del tren yo veía desfilar un paisaje triste con árboles sin hojas cuyas ramas se dibujaban melancólicas sobre un cielo gris plomizo. En la mano derecha tenía la carta de mis primos que había recibido el día anterior. La había releído ya varias veces durante el viaje. Sin duda era su contenido lo que me deprimía. Mis primos me escribían diciéndome que había muerto su madre, mi tía Aurelia, en un accidente de tráfico, poco antes de haber cumplido los treinta y cinco años. Durante el viaje pensé continuamente en ella. Era mi tía

preferida y sólo le veía cualidades. Era una mujer independiente, diná-
mica, querida por todos y, además, era guapísima. Tenía un cuerpo
esbelto y bien proporcionado, un rostro expresivo, de rasgos bien
marcados. Pero, ¿era realmente su muerte repentina lo que me deprimía tanto? Podía parecerlo. Yo podría utilizar, si quisiera, su desapa-
rición como excusa para justificar la profunda tristeza que me embar-
gaba. Sin embargo la razón de mi melancolía podía ser otra. Acababa
de romper con mi novio, bueno, en realidad no era mi novio, aunque
yo estaba locamente enamorada de él. Era un compañero del instituto
y habíamos salido juntos durante todo el otoño. Fue él quien rompió.
Me dejó, y creo que fue para empezar a salir con otra chica. Claro que
es esto lo que me pone tan triste. No es extraño que me haya dejado.
Él es guapísimo y todas las chicas le van detrás, y yo... sé que no soy
guapa, ni siquiera normal. Soy más bien vulgar.

Cuando el tren entró en un túnel se encendieron las luces del com-
partimento y el vidrio de la ventanilla hizo entonces de espejo. Odio
los espejos, pero no puedo evitar mirarme en ellos. No me gusta mi
figura. Soy gorda, el pelo negro me cae lacio sobre los anchos hombros. Tengo la cabeza grande, con una cara inexpresiva, pegada al
cuerpo, casi sin cuello. Y cuando me miro la cintura (no hace falta que
me mire en el espejo para esto) sólo veo el estómago y más abajo las
gruesas piernas. ¡Qué injusta es la naturaleza! Afortunadamente mi
imagen desaparece de la ventanilla cuando el tren sale del túnel. ¿Soy
demasiado egocéntrica? La carta que mi mano derecha estruja me
recuerda que acaba de fallecer mi tía Aurelia. Mientras el tren avanza
envuelto en el triste paisaje voy recordando imágenes de su vida, de
las veces que había venido a nuestra casa sola o con su marido y sus
hijos: el día de Navidad, el día del santo de mi madre, en agosto cuando vino ella sola a pasar una semana en la playa... Me gustaba pasear
con ella, o tomar algún refresco en la terraza del bar de la plaza porque todos los hombres se volvían para mirarla. Ella era muy cariñosa
conmigo y lo pasábamos muy bien juntas, a pesar de la diferencia de
edad. Empiezo a dudar y no sé si parte de mi melancolía nace de mi
cariño hacia ella o de mi envidia. ¡Qué ideas, Dios mío! Bueno, es
igual... En la carta mis primos me escriben que me han guardado algunos recuerdos de ella para entregármelos. Dicen que tienen una cajita
de plata, un misal, que en realidad era de mi madre, es decir de su
hermana, unos pendientes de mi abuela y unas fotografías de cuando

tía Aurelia iba a la escuela y tenía la misma edad que yo ahora, y en la que también salen mi madre y mis abuelos.

Cuando el tren llegó al pueblo de mis tíos bajé. Mi primo me estaba esperando en la estación. Me llevó en coche a su casa. Estuvimos hablando un rato en el jardín y luego nos sentamos alrededor de la mesa del comedor para merendar. Todos estábamos muy tristes. Mi tío estaba sentado a la cabecera de la mesa, con la cabeza hundida entre los hombros sin decir ni una palabra. Mi prima colocó una bandeja con pastas y galletas en el centro de la mesa y nos sirvió una taza de té. A mí me trajo una caja de zapatos cuya tapa estaba sujetada con una goma elástica. La abrí y fui sacando las cosas que había dentro: una preciosa cajita de plata muy antigua, unos recortes amarillentos de periódico, un misal que tenía un hermoso crucifijo de nácar en el centro de la tapa... Saqué también tres fotografías antiguas, aparté la taza de té y coloqué las fotografías con cuidado sobre la mesa, para poder mirarlas con más atención. Comprendo que en aquel momento a todos les debió sorprender mucho que en vez de mantener mi expresión de tristeza, al ver las fotografías me echara a reír. No pude contener mi alegría al ver en la foto a mí tía Aurelia, a los 17 años, que son los que tengo yo ahora. Tenía el pelo negro, que le caía lacio sobre los anchos hombros. Tenía una cara inexpresiva y la cabeza grande, pegada al cuerpo, casi sin cuello. Le sobresalía el estómago y debajo del vestido se adivinaban dos gruesas piernas. ¡Era clavada a mí!

## A. ¿Pretérito indefinido o imperfecto?

Complete las frases con la forma adecuada del verbo que está entre paréntesis.

*La chica (subir) ...... al tren en la estación de Chamartín. En la mano (tener) ...... una carta, en la que (poner) ...... que se había muerto su tío. Ella (abrir) ......el bolso, (sacar) ...... una foto de su tío y la (mirar).......(Parecer) ......... un hombre simpático, aunque (tener) ...... los ojos un poco tristes. En la foto él (tener) ...... el pelo lacio, largo y le (caer) ...... sobre los hombros. El tren (entrar) ......... en el túnel y ella (mirar) ...... hacia afuera. El cielo ya no (estar) ...... gris.*

(Hacer) ...... *sol. El tren* (llegar) ...... *a Toledo puntual y ella* (bajar) ...... . *En la estación le* (esperar) ...... *su primo y cuando ella le* (ver) ...... (ponerse) ...... *muy contenta. Como ella no* (llevar) ...... *maletas* (ir) ...... *los dos a casa del primo a pie.*

## B. La familia

Complete las frases con las palabras adecuadas.

1. *La madre de mi madre es mi* ..............................
2. *La hermana de mi padre es mi* ..............................
3. *La hija de mi tía es mi* ..............................
4. *Los padres de mi padre son mis* ..............................
5. *Mi suegra es la* ........................................ *de mi mujer.*
6. *Mi cuñado es el* ........................................ *de mi mujer.*
7. *Mi sobrino es el* ........................................ *de mi hermano.*
8. *Mi nieto es el* ........................................ *de mi hijo.*

## C. Busque la frase similar

¿Cuál de las palabras o frases de la columna de la derecha expresa algo similar a cada una de las palabras en cursiva de la columna de la izquierda?

| | |
|---|---|
| 1) *romper* con el novio | a) no expresar |
| 2) *embargar* los sentidos | b) muy, mucho |
| 3) estoy *locamente* enamorada | c) empezar |
| 4) *echarse* a reír | d) no verle más |
| 5) *contener* la alegría | e) sirve de |
| 6) *hace de* espejo | f) suspender, paralizar |

## D. El cuerpo humano

¿A qué parte del cuerpo humano corresponde cada una de estas palabras?.

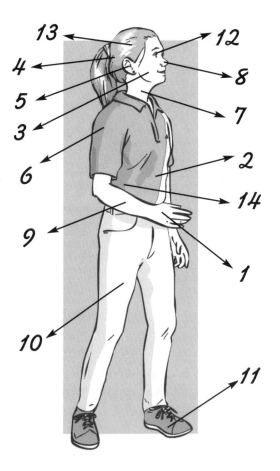

hombro
rostro
cabeza
mano
estomago
pelo
cintura
cuello
pierna
nariz
brazo
pie
oreja
ojo

## E. Relativos

Complete las frases con uno de estos relativos: *el que, la que, los que, cuyo, cuya.*

1. *No es mi tía* ............................................... *habla ingléés. Es mi tío.*
2. *Juan es* ................................................ *tiene el pelo negro.*
3. *El tren que tienes que tomar es* ........................................ *sale a las siete.*
4. *Mis primos son* ............................................. *vienen este fin de semana.*
5. *Mi prima me dio una caja* ............................... *tapa era de color rojo.*
6. *Tengo un amigo* ........................................ *padre es ministro.*

## F. Conteste a las preguntas

Responda a las siguientes cuestiones de acuerdo con la información aportada por la lectura.

1. *¿Por qué viaja la chica y adónde va?*
2. *¿Cuál era la relación con su tía? ¿Qué opina de ella?*
3. *¿Cómo era la tía?*
4. *¿Por qué está triste la chica?*
5. *¿Cómo se ve a sí misma la chica?*
6. *¿Qué hizo la chica en el pueblo de sus tíos?*
7. *¿Qué le dio la prima a la chica? ¿Qué había en la caja?*
8. *¿Por qué se echó a reír?*
9. *¿Cómo era su tía a los 17 años?*

## G. Describa a una persona

Busque la fotografía de una persona (o varias), o piense en una persona famosa. Escriba cómo es o comente su aspecto con sus compañeros.

## H. ¿Cuál es su opinión?

¿Cuál es el aspecto físico de las personas que aparecen con frecuencia en los spots publicitarios de la televisión o en los diarios? ¿Qué piensa usted sobre esto?

# La Prisión

Mi jefe, en el periódico donde yo trabajaba, me lo había pedido antes varias veces, pero yo me había negado. Me parecía atrevido y hasta peligroso. Pero, al final, no pude resistirme. No sé si fueron decisivos sus argumentos o mi falta de carácter. ¡Me han pasado tantas cosas desagradables en la vida por no saber decir que no!.

Feliciano Román, el más famoso asesino español, estaba en la cárcel de Carabanchel cumpliendo una condena a cadena perpetua. Entre otras cosas había asesinado cruelmente a tres camareras de un restaurante madrileño. Mi jefe conocía bien al director de la cárcel y había conseguido autorización para que yo ingresara en la prisión, como si hubiera sido condenado por un tribunal. De esta forma podría ganarme la confianza de Feliciano Román y, sin que se diese cuenta, le podría hacer una entrevista. Hasta entonces ningún periodista había conseguido sacarle una palabra. Mi jefe me entregó un libro sobre el periodista alemán Günter Walfraff para que me familiarizara con sus métodos y me pidió que no dijera nada a mis compañeros ni a nadie. No me fue difícil guardar secreto porque yo vivía solo en Madrid, adonde había llegado hacía unos meses y apenas conocía a nadie.

Todo sucedió como habíamos planeado. El director de la cárcel me recibió con mucha amabilidad y dos guardias me acompañaron a "mi" celda, que era también la de Feliciano Román. Tuve mucha suerte porque Román, según me contó él mismo, iba a quedarse allí sólo un par de días más. Lo iban a trasladar a una prisión nueva y más segura que acababan de construir. Me dijo que no se encontraba muy bien y que apenas había salido de la celda durante los dos meses que llevaba en aquella prisión. Esto podría explicar que tuviera tantas ganas de hablar conmigo. Me cogió enseguida confianza y me contó prácticamente toda su vida. Lo que me estaba confesando con tanta sinceridad me ponía la piel de gallina. Era estremecedor.

Al día siguiente yo tenía ya material suficiente para escribir todo un libro. Tenía ya ganas de volver al diario y empezar a escribir, pero preferí quedarme dos días más. Esperé a que le trasladaran a él de prisión para que no sospechara nada de mí. Al tercer día nos despedimos. Él se marchó y, poco después, yo fui a ver al guardia para que me dejara salir. "¡Es imposible!", me dijo, "¿Se cree usted que esto es un hotel? Tiene que cumplir su condena como todo el mundo".

¿No sabía él cómo había entrado yo en la cárcel? No quiso creer que yo era periodista. Al final le logré convencer de que fuera a buscar al director. Cuando volvió con el director se me heló la sangre. ¡Aquel señor no era el director! Me lo explicaron: El director había sido destituido por el Gobierno por un asunto de drogas y había desaparecido. Nadie sabía dónde se encontraba. Noté que el nuevo director y el guardia no me creían.

Al día siguiente me llevaron a una oficina. Efectivamente no encontraban ningún papel en el archivo con mi nombre. Al otro día vino un abogado, que intentó ponerse en contacto con mi jefe. Me dijo que no lo había conseguido porque mi jefe había salido de vacaciones al Caribe y no habían podido localizarle. Luego los guardias me trajeron a esta celda y aquí he permanecido encerrado durante más de una semana, sin apenas comer.

En este momento he perdido ya la cuenta de los días que llevo en la prisión y estoy prácticamente incomunicado. Lo peor es que aquí ahora todos creen que estoy loco. Mi última esperanza es que esta carta llegue a manos de alguna persona sensata que pueda hacer algo por mí. Por favor, si lee usted esta carta, ¡ayúdeme! ¡No me deje abandonado en esta cárcel de la que no consigo salir!

La señora que pasaba en este momento por debajo de la ventana levantó la vista al oír "!Eh! ¡Chsss...!". Vio el rostro de un anciano y una mano que se asomaba lenta y temblorosa y que se abría para dejar caer una hoja arrugada de papel. La mujer siguió con la vista la caída de la hoja, que zigzagueaba movida por una ligera brisa. Más abajo, a la derecha de la puerta de la entrada del edificio, en grandes letras se podía leer "Hospital Psiquiátrico del Sagrado Corazón de Jesús". La mujer se agachó para recoger la hoja del suelo. Reconoció enseguida la letra y miró con tristeza hacia arriba. No era la primera vez que, a la salida del hospital, donde había estado visitando a su madre, había visto caer una carta escrita por la misma persona.

# A. ¿Pretérito indefinido o imperfecto?

Complete las frases con la forma adecuada del verbo que está entre paréntesis.

1. *Cuando yo era joven (trabajar) ............ en un periódico. Mi jefe (conocer)............... bien al director de la cárcel y (conseguir).... ............ autorización para que yo pudiera ingresar en la prisión. Primero yo (leer) ...... un libro de un periodista alemán y luego (ir) ...... a la cárcel. El director me (recibir) ............ muy amable y unos guardias me (llevar) ............. a la celda de Román. Él me (decir) ......... que (encontrarse)........... mal. Me (coger) ............. confianza y me (contar) .......... su vida. ¡Aquello (ser) ............... estremecedor!*

2. *Al día siguiente yo ya (tener) ........ material para un libro, pero (quedarse) ......... dos días más con él. Al tercer día Román y yo (despedirse) ...... El guardia no (querer) ...... creer que yo (ser) ......periodista. Un abogado (intentar) ...... ponerse en contacto con mi jefe, pero él no (estar) ....... en el periódico. (Estar) ...... en el Caribe de vacaciones. Yo (enfadarse) ........ y le (dar) ...... un golpe al abogado, que (perder) ...... el conocimiento.*

# B. ¿Qué acentos faltan?

La persona que ha escrito este texto no ha puesto ningún acento. ¿Puede añadirlos usted?

*Juan, que trabajaba en mi periodico, esta en la prision. Es dificil hablar con el. ¿Por que? Pues porque no tiene telefono en la celda y la carcel esta muy lejos de aqui. Un dia quise hablar con el. Llame y hable con un guardia y el me dijo que Juan no queria hablar conmigo. Yo me enfade. "¿Como es posible?", dije. "Hoy es sabado —me contesto el guardia— y los sabados por la mañana Juan estudia ingles y entonces no quiere hablar con nadie".*

## C. Construya frases

Forme oraciones completas combinando los elementos de las dos columnas.

a. *Tenía autorización para*
b. *Ha sido condenado por*
c. *Se ganó la*
d. *Me pidió que no dijera*
e. *Todo sucedió*
f. *Lo que me contaba*
g. *Tenía ganas*
h. *Me dijeron que mi carnet*
i. *Mi última esperanza*

1. *es que alguien lea esta carta.*
2. *confianza del jefe.*
3. *como mi jefe había planeado.*
4. *me ponía la piel de gallina.*
5. *ingresar en la cárcel.*
6. *podría estar falsificado.*
7. *un tribunal.*
8. *nada a mis compañeros.*
9. *de volver al diario y empezar a escribir.*

## D. Complete las oraciones

Complete las siguientes oraciones con alguna de estas expresiones:

a. *Hasta entonces*
b. *Acababan de construir*
c. *Al día siguiente*
d. *En este momento*
e. *Hacía dos días*
f. *Lleva dos días*
g. *Se quedó dos días*
h. *Dentro de dos días*

1. ........................ llega Juan. *(Pasado mañana)*
2. ........................ en la prisión. *(Ha estado dos días, y está toda vía)*
3. Habían llegado ........................ *(Dos días antes)*
4. ........................ no puedo pagarle. *(Ahora)*
5. ........................ ningún periodista le había entrevistado. *(Antes)*
6. ........................ en mi casa. *(Estuvo)*
7. ........................ una cárcel en el pueblo. *(Han construido hace poco)*
8. Llegó ........................ *(Mañana)*

# E.  Conteste a las preguntas

Responde a las siguientes cuestiones de acuerdo con la información que proporciona la lectura.

1. *De acuerdo con el relato, ¿por qué entró en la cárcel el autor del
   mismo?*
2. *¿De qué manera pudo entrar, según él?*
3. *¿Por qué estaba allí Feliciano Román, según el periodista? ¿Qué
   pasó luego con Román?*
4. *¿Por qué dice que tuvo suerte?*
5. *¿Por qué no salió de la cárcel al día siguiente, cuando ya tenía
   material suficiente?*
6. *¿Qué hizo para intentar salir de allí?*
7. *¿Pudo hablar con su jefe?*
8. *¿Por qué escribió la carta?*
9. *¿Cómo reacciona la señora? ¿Cómo interpreta la carta?*


# F.  Cuente su experiencia

Escriba una historia o coméntela con sus compañeros. Elija una
de estas dos alternativas:

a) *¿Ha tenido usted alguna experiencia angustiosa?*

b) *De las historias que ha leído o que le han contado, ¿cuál cree
   que es la más angustiosa?*

# LA TRAMPA

Juan vivía en una pequeña aldea, en el norte de México. Estaba vaciando su casa y colocaba en una vieja camioneta los pocos muebles y otros objetos personales de su propiedad. Un pequeño grupo de personas le miraba sin decir nada. Uno de los hombres, que llevaba sólo unos días en la aldea, rompió el silencio:

—*¿No se arrepiente usted, Juan?* —preguntó.

—*No, no me arrepiento. Así no puede vivir una persona. Estas tie-*

*rras sin agua no tienen futuro. En la capital me han ofrecido trabajo.*

Unas mujeres habían preparado, fuera de la casa, unas tortillas y frijoles. Se sentaron todos y comieron.

—*El cafecito está estupendo* —dijo el hombre—. *Juan, ¿por qué no se olvida usted de la capital y se viene con nosotros a Estados Unidos? Somos cinco. Llevamos un buen guía. Saldremos todos la semana entrante.*

—*No cuenten conmigo. Ustedes háganlo, pero yo aquello ya lo he visto.*

—*¿Sí? Cuénteme* —el hombre le miró con interés.

—*Yo conozco bien el camino. Me fui allí hace medio año. Me fui solo. Necesitaba la plata para el pozo. Con agua esas tierras serían buenas. Pensaba ir a trabajar allí un par de años no más. Para cruzar la frontera tardé dos días a pie. Todo el tiempo estaban los helicópteros de la inmigración volando por encima, pero no me vieron. Vi cómo agarraban a otros mexicanos y los hacían volver para acáá. Yo pasé sin problemas y estuve trabajando unos días en la lechuga. Hubo una huelga y el gringo no me quería pagar. Yo, como no tenía papeles, tuve que buscarme otro trabajo. Me fui a trabajar con los tomates. Allí gané buena plata, pero pude trabajar sólo dos meses.*

—*¿Por qué?* —preguntó el hombre.

—*¿Usted no ha oído lo que nos pasó en Dallas? Pero si todo el mundo lo sabe. Estaba yo con un grupo de amigos de Monterrey en un café. La mesera nos estaba sirviendo unas cervezas. De pronto se abrió la puerta y un gringo gritó:* "¡Vienen los de la inmigración! ¡Váyanse por la puerta de atrás! ¡Rápido!".

—*Una docena de mexicanos, sin tiempo para pensar, nos levantamos y salimos corriendo por aquella puerta que nos abrió la mesera. Cuando salimos a la calle, allí nos estaba esperando una furgoneta de la policía, y nos metieron a todos dentro.*

—*¿El gringo que gritó era un policía?*

—*Pues, claro, ¿qué podía ser? ¿Qué le parece a usted? Pues nos agarraron y nos trajeron a todos otra vez para México.*

Juan se levantó.

—*Pronto va a oscurecer* —dijo—. *Tengo que partir.*

Se subió a la camioneta y partió. El grupo de personas que había estado conversando con él le saludó con la mano. Unas mujeres agitaban un pañuelo. Todos estaban en silencio, mirando con tristeza cómo se alejaba la vieja camioneta.

## A. Todo

Complete las frases con alguna de estas formas: *todo, todos, toda, todas.*

1. ........................................ *la gente está en la plaza.*
2. *Una señora perdió ........................................ su dinero.*
3. ........................................ *los vecinos han perdido algo.*
4. *Juan ha viajado por ........................................ América.*
5. *¿Has leído ........................................ los diarios?*
6. *De ........................................ formas, yo no pienso cruzar la frontera.*
7. *En la camioneta hay ........................................ tipo de muebles.*
8. ........................................ *el mundo sabe que Juan estuvo en Estados Unidos.*

## B. Ser o estar

Complete las frases con la forma adecuada del verbo *ser* o *estar.* Use el presente de indicativo, excepto cuando se indique otro tiempo.

1. *La aldea ........................................ en el norte de México.*
2. *Juan ........................................ vaciando la casa.*
3. *El hombre ........................................ cansado.*
4. *La tierra ........................................ seca porque no ha llovido.*
5. *El clima aquí ........................................ muy seco. Llueve poco.*
6. *El cafecito ........................................ estupendo.*
7. *Vamos a Estados Unidos, ........................................ cinco.*
8. *El guía ........................................ muy bueno.*
9. *Juan no ........................................ interesado en emigrar a Estados Unidos.*

10. *Juan* .......................................... *trabajando un tiempo en el campo.* (pret. ind.)
11. *Juan no pudo salir, porque la puerta*.......................................... *cerrada.* (imperf.)
12. *La mujer* .......................................... *triste porque él se iba.* (imperf.)

## C. Muebles y objetos personales

¿Qué muebles y objetos personales cree usted que ha cargado Juan en la camioneta?¿Qué cargaría usted? .Escriba las dos listas.

## D. ¿Recuerda la palabra?

Busque en el texto las palabras que faltan o que son sinónimos o que equivalen a estas definiciones.

1. Sacar las cosas de una casa, de un armario: ..............................
2. Poner: ..................................
3. Un hombre miraba *sin decir nada.*Miraba en..........................
4. Pueblo pequeño:..............................
5. Quería ir yo, pero ya no quiero. Me he ......................................
6. Es una persona que conoce muy bien el camino. Es el ............. ......................
7. Para sacar agua de la tierra necesito hacer un..........................
8. Dos o tres: Un ................................................
9. *Pasar de un lado a otro de* un país, de una calle: ................. ..........................................
10. Los trabajadores dicen que no piensan trabajar. Hacen............. ........................
11. Los mexicanos no dicen "dinero", dicen "...............................".
12. Doce personas son una .......................................... de personas.

## E. Emigración, inmigración. Cuente su experiencia

1. En España y en América Latina hay emigrantes e inmigrantes. ¿Qué conoce usted sobre este fenómeno?

2. ¿Tiene usted alguna experiencia personal o conoce a alguien que la tenga?

Escriba sobre ello o coméntelo con sus compañeros.

## F. ¿Qué opina usted?

En los últimos años han llegado muchos inmigrantes a España y a otros países europeos. ¿Cómo ha afectado esto a las sociedades europeas? ¿Ha habido algún problema? ¿Cuáles son los aspectos positivos? ¿Cómo va a ser el futuro?

Escriba su opinión o coméntela con sus compañeros.

# El Parque

Las campanas de la iglesia dieron las ocho. Laura apenas las oyó. En verano las oía bien porque la iglesia estaba al otro lado del parque. Pero ahora en invierno era más difícil. Las ventanas de la casa tenían doble vidrio y estaban cerradas porque hacía mucho frío.

Cuando sonó la última campanada, Laura dejó el periódico sobre la mesa y colocó en el lavavajillas la loza que había usado para el desayuno. Antes de salir de la cocina volvió a mirar la portada del periódico que acababa de leer. Por segunda vez en una semana habían asesinado a una mujer en el parque. La fotografía del cadáver le había impresionado. "¿Cómo es posible que haya gente tan cruel" pensó. Se acercó a la ventana para mirar hacia afuera. El sol empezaba a salir y apenas había luz. Se estremeció al pensar que aquellos crímenes habían ocurrido allí mismo, a dos pasos de su casa.

Se puso el abrigo, se enrolló la bufanda alrededor del cuello, cogió los guantes y el bolso y salió de casa. Normalmente, para ir al trabajo Laura cruzaba el parque. Era un paseo agradable de menos de diez minutos. Pero, ahora, con aquellos horrendos crímenes, no se atrevía a hacerlo. Los últimos días había pasado por las calles más concurridas porque tenía miedo.

Pasaron unas semanas, Laura —como todos los vecinos del barrio— se fue olvidando de los asesinatos y perdió el miedo. Volvió a cruzar el parque para ir al trabajo y para volver a su casa por la noche.

Una noche tuvo el presentimiento de que alguien la seguía. Estaba ya en medio del parque y era demasiado tarde para cambiar de camino. Apretó el paso. La noche era oscura. Un fuerte viento agitaba las desnudas ramas de los árboles. Había caído una espesa niebla y la luz de los faroles apenas se veía. Los pasos de la persona que la seguía se oían cada vez con mayor claridad. Laura oyó la voz grave de un hombre que le gritó "¡Oiga! ¡Psst!". Ella volvió un instante la cabeza y vio a sus espaldas el cuerpo de un hombre alto y corpulento. Cojeaba ligeramente y llevaba un abrigo con el cuello levantado que le ocultaba el rostro. Tenía el pelo largo y el viento lo levantaba hacia atrás. Con un gesto instintivo Laura cogió con más fuerza su bolso y apretó el paso. No veía a nadie más en el parque y todo estaba envuelto en una profunda oscuridad. Laura creyó oír que los pasos se alejaban, pero se había equivocado. El hombre la había alcanzado y caminaba ahora a su lado, tambaleándose a causa de la cojera. "Oiga, señorita...", empezó a decir. Laura notó que iba a desmayarse de miedo. El corazón le latía con fuerza y sintió como si se le fuese a salir del cuerpo. El hombre, alto y corpulento, se le acercó y le dijo con voz suave, insegura: "Oiga, señorita, perdone. ¿Puedo ir con usted? Es que tengo mucho miedo de cruzar el parque solo".

## A.  ¿Cuántas veces más?

Rellene los blancos de las siguientes frases con la cifra correspondiente a la palabra que aparece en cursiva.

a. Mi marido come el *doble* que yo. Es decir … veces más que yo.
b. Esta casa cuesta el *quíntuplo* de lo que tengo en el banco.
   Es decir …      veces más.
c. La población de Madrid es el *cuádruple* de la de Sevilla.
   Es decir … veces más.
d. Mi jefe gana el *triple* que yo. Es decir … veces más.
e. Tu coche es el *doble* de caro que el mío.
   Es decir cuesta … veces más.
f. Esto cuesta el *cuádruple* de lo que has dicho.  Es decir … veces más.
g. Mi casa es el *doble* de alta que la tuya.  Es decir …… veces más.


## B.  ¿Pretérito indefinido o imperfecto?

Complete las frases con la forma adecuada, en pretérito indefinido o imperfecto, de los verbos indicados entre paréntesis.

*Laura en verano siempre …(oír)… las campanas. Pero ayer no las …(oír)… porque las ventanas …(estar)… cerradas y …(hacer) … frío. Laura …(dejar)… el periódico sobre la mesa y …(colocar)... la loza en el lavavajillas. En el periódico …(haber)… una fotografía de una mujer. Laura …(acercarse)… a la ventana. Afuera no …(haber)… luz. Luego …(ponerse)… el abrigo, …(coger)… los guantes y …(salir)… de casa. Normalmente Laura …(cruzar)… el parque, pero ayer no lo …(cruzar)… porque aún …(tener)… miedo.*

## C. Busque la palabra.

Complete las frases con la palabra cuya explicación aparece entre paréntesis.

1. *La ventana tenía* ......................... *vidrio.* (dos veces)
2. *Laura* .............................. *oyó las campanadas.* (casi no)
3. *Cómo es posible que* ......................... *gente tan cruel.* (verbo haber)
4. *Había ocurrido a dos* ......................... *de su casa.* (muy cerca)
5. *Se* ......................... *la bufanda alrededor del cuello.* (se la puso alrededor)
6. *Normalmente Laura* ......................... *el parque.* (pasaba de un lado al otro)
7. *Ayer no se* ............................ *a cruzar el parque.* (tuvo miedo de cruzar)
8. *Tuvo el* ........................... *de que la seguían.* (la sensación, la impresión)
9. *El viento agitaba las* ......................... *ramas.* (sin hojas)
10. *Había caído una* ............................... *niebla.* (densa)
11. *Laura vio a sus* ............................. *a un hombre.* (detrás de ella)
12. *El hombre cojeaba* ......................... (un poco)
13. *El abrigo le* ......................... *el rostro.* (escondía)
14. *Laura* ......................... *el paso.* (empezó a caminar más rápido)

## D. Adjetivos

Elija el adjetivo más adecuado para cada uno de los sustantivos.

1. *gente*
2. *paseo*
3. *crímenes*
4. *calles*

a. *instintivo*
b. *espesa*
c. *agradable*
d. *profunda*

52

5. *ramas*              e. *cruel*
6. *niebla*            f. *concurridas*
7. *voz*                g. *horrendos*
8. *gesto*             h. *corpulentos*
9. *oscuridad*       i. *grave*
10. *hombres*       j. *desnudas*

## E. Verbo sentir

¿Qué letras faltan a las diferentes formas del verbo **sentir**?

1. —*¿Puedes venir mañana?*
   —*No. Lo s...nto, no puedo.*
   —*Nosotros tampoco podemos. Lo s...ntimos.*

2. —*¿Qué le pasó a Eva?*
   —*Se s...ntió muy mal y se fue.*
   —*Debió de ser por la comida. Nosotros también nos s...ntimos mal ayer.*

3. —*¿Cuando su padre estaba en América ustedes se s...ntían solos?*
   —*No, no nos s...ntíamos solos porque estaban los abuelos.*

4. —*Laura s...ntió como si el corazón se le fuese a salir. ¿Le pasó a usted lo mismo?*
   —*No, no lo s...ntí.*

5. —*Mañana vendré a tu casa. S...ntiría mucho que no estuvieras allí.*

## F. Pronombres personales

Complete las respuestas con la forma adecuada del pronombre personal que falta. En algún caso faltan dos.

1. —¿Laura oyó las campanas?
   —No, no ..................... oyó

2. —¿Dónde dejó el periódico?
   —.......................... dejó sobre la mesa.

3. —¿Y la vajilla?
   —.......................... colocó en el lavavajillas.

4. —¿La foto del cadáver impresiona?
   —A Laura ..................... impresionó mucho.

5. —¿Qué hizo con el abrigo?
   —........................  ........................ puso antes de salir.

6. —¿Se atrevía a pasear por el parque?
   —No, no se atrevía a hacer............................ .

7. —¿Quién dijo a Laura que él tenía miedo?
   —........................  ........................ dijo el hombre que la seguía.

8. —Y a ti, ¿quién te ha dado el periódico?
   —........................  ........................ ha dado una amiga.

9. —¿Y a María?
   —........................  ........................ di yo.

10. —¿Quién gritó, él o ella?
    —Él .......................... gritó a ella.

## G. Cuente la historia

¿Conoce usted algún caso de robo o asesinato? Escriba lo que sucedió o coméntelo con sus compañeros.

## H. ¿Qué opina usted?

En la prensa se escribe mucho sobre terrorismo y otros tipos de delincuencia. ¿Qué opina usted? ¿Cuál es la situación real? ¿Cuáles son las causas? ¿Qué se debe hacer? Escriba su opinión o coméntela con sus compañeros.

# SUERTE

—¿Otra vez pescado, mamá?

—Pues claro. Hoy toca pescado. Comer pescado la primera semana de marzo da buena suerte. Eso es ,por lo menos, lo que yo he aprendido de mi madre.

La niña le mira con grandes ojos, aunque ya está acostumbrada a estas explicaciones. María Jesús, su madre, es supersticiosa y se pasa la vida tratando de controlar su destino y buscando la fortuna. Los martes no sale de casa, no pasa nunca por debajo de una escalera, si ve un gato negro cambia de calle y conoce perfectamente la influencia de los planetas y de las estrellas. La casa está llena de objetos que traen suerte: herraduras, colas de conejo, medallas e imágenes de vírgenes y santos. "El que no cree en nada, nada recibe", dice a los incrédulos.

Juan, su marido, pertenece a ese grupo (al de los incrédulos), aunque "por si acaso" le deja hacer a ella lo que quiere. Todo porque una vez en Valencia le dijo a él que comprara un número de lotería. Él no le hizo caso y resulta que aquel número ganó el primer premio. Cuando él se queja de sus supersticiones, ella le recuerda aquella metedura de pata. "Acuérdate de cuando no me dejaste comprar aquel número", le dice.

Al día siguiente por la mañana ella se levantó exaltada. "Díos mío —dijo—. Qué sueño he tenido. No hay duda. Ya sé lo que significa".

Juan le mira asustado. "¿Pero, qué pasa, mujer? ¿Por qué gritas así?".

—*Oh, Juan. Esta vez la cosa es muy seria. He tenido un sueño clarísimo.*

—*¿Qué ha pasado?*

—*He soñado que íbamos en coche por la autopista de Valencia. Tú conducías. Íbamos a toda velocidad, a más de 200. Hacía mucho frío y había placas de hielo en el pavimento. De pronto nos adelantó un camión, hizo una mala maniobra, salió de la autopista y quedó volcado en la cuneta.*

—*Bueno, ¿y qué? ¿Qué nos pasó a nosotros?*

—*No nos pasa nada* —dice María Jesús.

—*Entonces, ¿por qué estás tan exaltada?*

—*Pero, ¿qué no lo entiendes? El camión tuvo un accidente delante nuestro y quedó en la cuneta, boca arriba, y a nosotros no nos pasó nada. ¿Lo ves?*

—*No, no veo nada.*

—*Tú nunca ves nada, chico. Nosotros hemos tenido suerte, ¿no? ¿Hay algún detalle que nos dice qué tenemos que hacer? Ah, lo más importante: la matrícula del camión era 1.866. El próximo sorteo es el de Navidad. ¡Qué casualidad! ¿No? ¿Lo entiendes? Este es el número de la suerte. Hemos de comprar todos los décimos.*

—*Pero, María Jesús, ha sido sólo un sueño* —dice Juan.

—*¿Un sueño? ¿Recuerdas lo que pasó aquel día en Valencia...?*

—*Vale, vale. No hablemos más. Por si acaso...*

Durante varios días recorrieron Madrid buscando aquel número. No lo encontraron. Les informaron que aquel número lo vendían en una oficina de Sevilla. María Jesús y su marido tomaron el Ave, viajaron a Sevilla y allí encontraron el número. Compraron todos los décimos que encontraron y regresaron a Madrid.

El día 22 de diciembre, el día del sorteo, se quedaron toda la mañana en casa delante del televisor viendo el sorteo. Juan estaba nervioso, María Jesús no. Ella sabía que le iba a tocar. "Son cosas que una nota", decía. Ya había calculado exactamente qué iba a hacer con los 500.000 euros que le iban a tocar. Al fin anunciaron el gordo. Juan subió el volumen del televisor.

—*El premio gordo de 500.000 euros es para el número 9.981.*

—*María Jesús, esta vez has metido bien la pata* —dijo él furioso.

—*No puede ser* —dijo ella—.*No me he podido equivocar. Estaba bien segura.*

—*Pero es otro número.*

—*¡Claro! ¡Imbéciles!* —dice ella—. *Es que el 9.981 al revés es el 1.866. Y el camión había volcado y estaba boca arriba, o sea que la matrícula estaba al revés y yo la vi mal. ¡El número correcto es el que ha tocado, el 9.981!*

## A. Imperativo

Conteste a las siguientes preguntas usando el imperativo, como en el modelo.

—¿Aro la puerta?
—No, no la ... *abras*...

1. —¿*Paso por debajo de la escalera?*
   —No ....................., *por favor.*

2. —¿*Salgo de casa?*
   —No .....................

3. —¿*Digo el número?*
   —No lo .................

4. —¿*Me levanto?*
   —No, no ...............

5. —¿*Grito?*
   —No .....................

6. —¿*Pago yo?*
   —No .....................

7. —¿*Escribo la postal?*
   —No la .................

## B. Lea la frase

Lea la frase siguiente, pero con el pronombre "yo".

Tú, cuando *oyes* el despertador, *haces* el café, *sales* de casa, *vienes* aquí y *traes* los décimos. ¿Vale?

*Yo, cuando* ........................................

## C. Indefinidos

Complete el diálogo con alguna de estas formas indefinidas: *alguno (algún), algo, nadie, ninguno (ningún), nada.*

1. —¿Has soñado ........................................... ?
2. —No he soñado ........................................... especial.
3. —Pues yo he soñado ........................................ muy extraño. Yo estaba en casa y ........................................... llamó a la puerta. Abrí y no había ...........................................
4. —¿Sabes qué significa? ¿Significa ................................... ?
5. —No significa ........................................... , mujer.
6. —Oye, ¿tienes ........................................... décimo de la lotería de Navidad?
7. —No, no tengo ........................................... .¿Por qué?
8. —Si quieres, podemos comprar ........................................... . Yo creo que tu sueño puede traer suerte.
9. —Bueno, aquí no hay ........................................... vendedor. Podemos ir al centro.
   —Vamos.

## D. Forme oraciones completas

Forme oraciones completas combinando los elementos de las dos columnas.

| | |
|---|---|
| 1. Hay que comer pescado al menos | a. suerte. |
| 2. La niña está acostumbrada | b. hacer lo que quiero. |
| 3. Hay objetos que traen | c. al grupo de los incrédulos |
| 4. Ana, cuando ve un gato, cambia | d. de mis supersticiones. |
| 5. Mi marido pertenece | e. a toda velocidad. |
| 6. Una vez mi marido no me hizo | f. una vez a la semana. |
| 7. Él se queja | g. caso. |
| 8. Mi madre me deja | h. de acera. |
| 9. El coche iba | i. al clima. |

## E. ¿Qué palabra falta?

Complete las dos columnas con el sustantivo o el infinitivo que falta.

| | | |
|---|---|---|
| 1. | *pescar* | ........................................ |
| 2. | *explicar* | ........................................ |
| 3. | ........................................ | *control* |
| 4. | ........................................ | *recuerdo* |
| 5. | *soñar* | ........................................ |
| 6. | *ver* | ........................................ |
| 7. | *informar* | ........................................ |
| 8. | *viajar* | ........................................ |
| 9. | *sortear* | ........................................ |
| 10. | ........................................ | *subida* |
| 11. | ........................................ | *salida* |

## F. Conocer, pertenecer, conducir

Conteste a las preguntas con el presente de indicativo de estos tres verbos.

1. —¿*Conoces a Sofía?*
   —*No, no la* ........................................ .

2. —¿*A qué club perteneces? ¿Al Barcelona?*
   —*No,* ........................................ *al Real Madrid.*

3. —¿*Quién conduce?*
   — ........................................ *yo.*

4. —¿*Me conoce usted?*
   —*Nosotros no nos* ........................................ *.Yo* ........................
   *a su señora, pero a usted no le* ........................

## G. Cuente la historia

Todo el barrio conoció muy pronto la historia. En el bar que hay a pocos metros de la casa de María Jesús y Juan, un hombre cuenta la historia a unos clientes que no la conocen.

Cuéntela usted de esta manera.

## H. Cuente un sueño

¿Recuerda usted algún sueño que haya tenido? Escríbalo o cuénteselo a sus compañeros.

## I. ¿Qué opina usted?

¿Qué tipos de lotería conoce usted? ¿Juega usted mucho? ¿Tiene suerte? ¿Qué opina de la lotería?. Escriba sus experiencias y su opinión o coméntelas con sus compañeros.

# El vendedor de mariposas

—Muchas gracias.

La señora recogió la tarjeta de visita. La miró. La puso sobre la mesita de caoba del recibidor y añadió, con una sonrisa tímida, sin mirar al señor: "Cuando llegue mi marido hablaré con él".

Federico Oromí saludó cortésmente y salió de la casa, con pasos cortos y decididos. Era bajo y delgado e iba correctamente vestido: traje gris con chaleco del mismo color, camisa blanca, corbata oscura y zapatos negros. Llevaba una maleta que, comparada con él, parecía grande, pero no lo era.

La señora se quedó maravillada, pero no le convencieron ni los bellos colores de las mariposas ni los secos argumentos de Federico. Le dio mil excusas y razones y Federico hizo entrar, en muy poco tiempo, a las mariposas en la maleta. Le entregó su tarjeta, por si cambiaba de opinión, y se alejó con pasos cortos y decididos.

Pasaron los días y Federico siguió recorriendo las calles del pueblo, que se habían llenado de mariposas. A los niños les divertía ver el cielo lleno de colores, pero la gente mayor empezó a quejarse. Los profesores decían que los jóvenes se pasaban el día mirando a los insectos y no estudiaban. Los fabricantes de miel decían que las mariposas no dejaban néctar para las abejas. Otros se quejaban de que las mariposas entraban en las casas por las ventanas, que tenían que estar abiertas por el calor, o que ensuciaban la ropa tendida, recién lavada.

Una vez en la calle Federico miró su agenda. Levantó la cabeza para ver los números de la calle, se acercó a una verja de hierro que daba a un patio pequeño y tocó el timbre.

Había llegado al pueblo hacía dos días y en este tiempo había visitado ya, por lo menos, medio centenar de casas con la intención de vender mariposas.

Una señora de edad le abrió la verja de hierro y él, cuando ya estaba en el patio, abrió la maleta y salieron centenares de mariposas de vistosos colores. Volaban en silencio, moviendo sus frágiles alas y se posaban suavemente sobre las flores para succionar su néctar. Eran tantas que, con su peso, las flores se movían como si soplara el viento.

Las protestas contra las mariposas aumentaron y por fin, una tarde, un grupo de vecinos decidió hablar con Federico Oromí. Tenía que dejar el pueblo. Se presentaron en la pensión y llamaron a la puerta de su cuarto. Como nadie abría fueron a buscar al dueño y éste les abrió la puerta. Toda la habitación estaba llena de mariposas que salieron volando por encima de las cabezas de los admirados vecinos. Sobre la cama, dentro del traje gris del señor Oromí, vieron un enorme capullo de seda que se movía. Las paredes del capullo empezaron a romperse y salió, por debajo de la camisa blanca, una gigantesca mariposa que, al desplegar las alas, casi no cabía en la pequeña habitación. Salió con dificultad por la puerta y, en la calle, echó a volar. Los hombres vieron admirados cómo la enorme mariposa, de vivos colores, volaba por encima de los tejados y se alejaba seguida de miles de minúsculos y frágiles insectos que tapaban el sol.

## A. Complete las frases

Complete las siguientes frases con alguna de las expresiones que aparecen en el recuadro.

correctamente
hacía
tocó
de opinión
tendida
decidieron
empezó
soplara
en silencio

1. *La gente* ............................................ *a quejarse.*
2. *Las mariposas ensuciaban la ropa* ............................................
3. *Federico* ............................................ *el timbre.*
4. *Las mariposas volaban* ............................................
5. *Unos vecinos* ............................................ *hablar con Federico.*
6. *Federico iba* ............................................ *vestido.*
7. *Había llegado al pueblo* ............................................ *dos días.*
8. *Federico le dio su tarjeta por si ella cambiaba* ............................................
9. *Las flores se movían como si* ............................................ *el viento.*

## B. ¿Pretérito indefinido o imperfecto?

Complete las frases con la forma adecuada (en pretérito indefinido o imperfecto) del verbo en infinitivo que aparece entre paréntesis.

1. *La señora ...(poner)... la tarjeta en la mesa. Federico...(salir)... de casa. ...(Ser)... bajo e ...(ir)... correctamente vestido. ... (Llevar)... una maleta que no ...(ser)... grande. Una vez en la calle, ...(acercarse)... a una verja y ...(tocar)... el timbre.*

2. *Le ...(abrir)... una señora. Él, cuando ya ...(estar)... en el patio, ...(abrir)... la maleta con las mariposas. ...(Ser)... tantas que, con su peso, las flores ...(moverse)... como si soplara el viento.*

3. *...(Pasar)... los días. A los niños les ...(divertir)... ver el cielo lleno de colores, pero los profesores ...(decir)... que los jóvenes ...(pasarse)... el día mirándolas y no ...(estudiar)... .*

4. *Un día los vecinos ...(presentarse)... en la pensión. Toda la habitación del señor Oromí ...(estar)... llena de mariposas. Los vecinos ...(ver)... una mariposa enorme que casi no...(caber)... en la habitación.*

## C. Construya frases

¿Cuál de los siguientes substantivos es el más adecuado para acompañar a cada uno de los verbos de la columna?

Construya una frase completa con ellos, por ejemplo: 1) *escribir...* a) *la carta.*: "Le he escrito una carta a mi tío en Sevilla".

| Substantivos | Verbos |
|---|---|
| a. *la carta* | 1. *escribir* |
| b. *la cabeza* | 2. *tocar* |
| c. *el timbre* | 3. *recorrer* |
| d. *la verja* | 4. *desplegar* |
| e. *xcusas* | 5. *levantar* |
| f. *opinión* | 6. *dar* |
| g. *las calles* | 7. *abrir* |
| h. *la ropa* | 8. *cambiar de* |
| i. *las alas* | 9. *tender* |

## D. Presente de subjuntivo

Transforme las frases como en el modelo (de presente a futuro).

Si *viene* mi marido, *hablo* con él ⟶ Cuando *venga* mi marido *hablaré* con él.

1. Si *tengo* dinero, me *compro* un móvil. ⟶ Cuando .......
...................dinero, me ........................................ un móvil.
2. Si me *dan* vacaciones, me *voy* a Andalucía. ⟶ Cuando
me...............vacaciones, me ............................ a Andalucía.
3. Si *llueve*, *entro* los muebles. ⟶ Cuando ........................
........... , ............................ los muebles.
4. Si *vienes* a casa, *cenamos*. ⟶ Cuando......................... a
casa, .............................
5. Si *llegamos* a Toledo, *tomamos* un refresco. ⟶ Cuando
....................... a Toledo, ............................. un refresco.

## E. Gerundio

Complete las frases con el verbo en presente de indicativo y el gerundio adecuado, como en el modelo.

*estar + gerundio*

—¿Qué haces?                           —¿Qué haces?
— ....................... (como)         —Estoy comiendo.

1. *estar + gerundio*
—¿Qué hace tu padre?
—......................................... el diario. *(lee)*

2. *seguir + gerundio*

—¿Dónde trabajas?

—.......................................... en el metro.*(todavía trabajo)*

3. *continuar + gerundio*

—¿Qué estudia Eva?

—.......................................... Medicina. *(Todavía estudia)*

4. *llevar + gerundio*

—¿Todavía vivís en el piso de la calle Alcalá?

—Sí, ..................................................... en aquel piso ocho años

   *(vivimos en aquel piso desde hace ocho años)*

5. *ir + gerundio*

—El piso .......................................... de precio. *(poco a poco sube)*

6. *pasar + gerundio*

—¿Qué hacen tus hijos?

—Se .......................................... el día ..........................................
   la tele. *(miran la tele todo el día)*

# la bomba

El cielo se iluminó con una luz intensa, casi blanca, luego llegó un ruido terrible y casi al mismo tiempo aparecieron por las ventanas de la casa enormes llamas. José sintió una fuerte sacudida y cayó al suelo. En unos instantes, que a él le parecieron una eternidad, vio con perfecta nitidez la plaza, con la casa en llamas, y la gente que corría despavorida. La mayoría eran gente del barrio que él conocía bien. José tuvo tiempo de recordar momentos clave de su vida, como si buscara una explicación a la catástrofe. Un escape de gas podía ser la causa, pero le pareció una explosión demasiado violenta. Últimamente había habido varios atentados terroristas en la comarca... Buscó con la vista algún indicio, un coche en llamas, una papelera destrozada, pero no vio nada que le ayudara a comprender. Se acercó angustiado a la casa y de pronto, tras una nueva explosión, de menos intensidad, le cayó encima un cascote que se había desprendido del balcón. José volvió a caer al suelo, esta vez con violencia, y perdió por unos instantes el conocimiento. Cuando recuperó la conciencia y miró a su alrededor no entendió lo que estaba ocurriendo. ¿Qué hacía él metido en medio de aquella horrorosa escena? ¿Quién era aquella gente que corría y gritaba con pavor? ¿Qué casa era aquella que estaba ardiendo en aquella plaza desconocida para él?. De la casa salieron los gritos de una niña que pedía socorro. Nadie corría en su auxilio. La gente gritaba y se movía histérica sin hacer nada. No había ningún coche de la policía, ni de los bomberos. Él tenía que intentar salvar a aquella criatura. Trató de entrar por la puerta, pero el calor, las llamas y el humo se lo impidieron. Levantó la vista buscando alguna posible entrada. En la primera planta había una ventana abierta, por la que salía poco humo. La voz de la niña parecía salir por allí. José arrastró un contenedor de la basura y lo colocó justo debajo de la ventana, que por suerte no estaba muy alta. La gente le gritó que no lo hiciera. Alguien intentó incluso hacerle bajar del contenedor cuando él ya estaba encima y tenía las manos en el alféizar de la ventana.

—¿Estás loco, José? —le gritó una señora.

"¿Me llamo José? ¿Cómo saben mi nombre? ¿Me conocen?", se preguntó él. Estaba excitado. Se sintió como una fiera enfurecida que lucha por sobrevivir. Colgado de la ventana, oyó con más claridad los gritos desesperados de la niña. Intentó clavar la punta de los zapatos en la pared para coger impulso, pero no lo logró. Sintió que tenía los dedos de la mano clavados en el alféizar, pero no podía subir el cuerpo. Abajo le gritaban todos que desistiera, que no podría salir con vida de aquella casa. Estuvo a punto de dejarse caer al suelo, pero los gritos desesperados de aquella niña le dieron nuevas fuerzas. Al fin uno de los hombres que había en la calle le cogió por los pies y le dio un fuerte empujón hacia arriba. José aprovechó el impulso y haciendo un esfuerzo sobrehumano logró al fin entrar por la ventana.

La gente miraba angustiada. Desde abajo no se veía nada y temieron lo peor. Salía una columna de humo que no les dejaba ver nada, pero podían oír perfectamente cómo la casa se iba destruyendo por dentro. Caían las vigas y con ellas parte del techo y de las paredes.

Llegó un coche de bomberos. Acercaron una escalera y dos hombres con máscaras entraron en la casa por aquella ventana. Al poco rato volvieron a aparecer con José, que agarraba con fuerza a una niña. Los dos tenían la ropa sucia y la cara y las manos ennegrecidas. Cuando José puso los pies en el suelo, miró hacia el grupo de personas que le miraba atónito y preguntó con una voz nerviosa y casi imperceptible:

—¿De quién es esta niña? ¿Están aquí sus padres? ¿Viven?

—¿Qué dices, José? —le contestó una mujer con lágrimas en los ojos—. Si es tu propia hija y ésta es tu casa.

## A. Complete las frases

Complete las siguientes frases con alguna de estas palabras:
*humo, despavorida, luz, cascote, escape, lágrimas, llamas, ruido, instante, bomberos.*

1. *La ............................... es muy intensa.*
2. *Se oyó un ........................... terrible.*
3. *Aparecieron unas ........................... enormes.*
4. *El ........................... me pareció una eternidad.*
5. *La gente corría ...........................*
6. *Dicen que había un ........................... de gas.*
7. *Se desprendió un ........................... del balcón.*
8. *Llegó un coche de los ...........................*
9. *Por la ventana salía ...........................*
10. *La mujer tenía ........................... en los ojos.*

## B. Complete las frases

Complete las frases con las palabras de la bolsa.

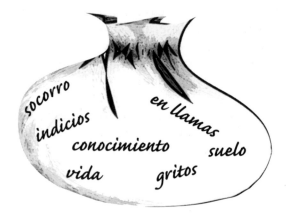

1. *Perdió el* ...........................................
2. *Cayó al* ...........................................
3. *La policía buscó* ...........................................
4. *La casa estaba* ...........................................
5. *La niña pedía* ...........................................
6. *El bombero le salvó la* ...........................................
7. *Yo oí sus* ...........................................

## C. ¿Indicativo o subjuntivo?

Complete las frases con la forma adecuada del verbo que está en infinitivo. Tiene que elegir entre el indicativo (pret. ind./imperfecto) y el subjuntivo (imperfecto).

1. *José camina como si no ...(tener)... fuerzas.*
2. *Hans habla español como si ...(ser)... mexicano.*
3. *Juan dijo que hace un año ...(comprar)... un coche nuevo.*
4. *La mujer le gritó que no ...(entrar)... en casa.*
5. *El hombre le dijo que ...(llamar)... a los bomberos.*

6.  *Hans habla con acento mexicano porque ...(vivir)... un año en México.*
7.  *Ana pidió que yo ...(hacer)... la comida.*
8.  *La mujer le gritó que ...(haber)... fuego en la casa.*
9.  *José no quiso que Carmen ...(leer)... sus cartas.*
10. *Llamó a los bomberos para que ...(venir)... con máscaras.*
11. *La policía no quiso que yo ...(subir)... por la escalera.*

## D.  ¿Pretérito indefinido o imperfecto?

Complete las frases con la forma adecuada de los verbos que aparecen en cursivas. Elija entre el pretérito indefinido y el imperfecto.

A las diez de la mañana se ...*oír*... un ruido terrible. Por la ventana ...*aparecer*... enormes llamas. En la plaza ...*haber*... mucha gente. Yo ...*conocer*... bien a casi todo el mundo. Muchos ...*ser*... vecinos míos y ...*vivir*... en la misma casa que yo. ...*Llegar*... un policía y ...*decir*... que nosotros ...*tener*... que salir de allí.

El policía ...*acercarse*... a la casa. La puerta ...*estar*... cerrada. Él la ...*abrir*... con un golpe. Del balcón ...*desprenderse*... un cascote y ...*caer*... cerca de mí.

El agente me ...*preguntar*... quién ...*ser*... yo, cómo ...*llamarse*... Le ...*decir*... que yo ...*vivir*... allí.

Ahora la puerta ya ...*estar*... abierta. El agente ...*entrar*... en la casa. Todo el tiempo ...*salir*... mucho humo. Al poco rato el policía ...*salir*... de la casa y ...*decir*... que allí dentro no ...*haber*... nadie.

## E. Escriba la noticia

Escriba una noticia para un diario contando lo que ha ocurrido.

## F. Cuente su experiencia

¿Alguna catástrofe le ha impresionado de forma especial?
Escriba su experiencia o coméntela con sus compañeros.

# Aprenda
## a hablar con los

## búhos en quince días

—*Antonio, por favor, cierra la ventana que hace frío.*

—*Un momento, Leticia, que parece que están contestando.*

—*Vamos, hombre, que yo no oigo nada.*

Antonio sigue con la ventana abierta imitando los gritos del búho. Es febrero y hace mucho frío.

—*Seguro que arriba en la montaña está nevando* —le dice la mujer cuando él, después de haber cerrado la ventana, se sienta en el sofá.

—*Quizás no he podido comunicar con los búhos por eso, porque hace demasiado frío* —dice él con resignación.

Hace cosa de un par de semanas leyó un anuncio en el diario. Una empresa de Asturias vendía un manual para "aprender a hablar con los búhos en quince días". Antonio lo compró sin hacer caso de los sabios consejos de su mujer. "No lo compres. Te están engañando", le había dicho, "esto es una estafa. No te lo creas".

A él le había hecho siempre mucha ilusión poder comunicarse con los búhos. Se leyó las instrucciones del manual y estaba convencido de que lograría su propósito, "Es cuestión de tener paciencia", decía.

Pasaron los días. Por la noche, después de la cena, Antonio se pasaba largo rato asomado a la ventana intentando imitar el ulular de los búhos.

—*Hu, hu, hu—hu—hu...*

Luego escuchaba con mucha atención y cualquier sonido que se oía en la calle, por un momento, le parecía que era la voz del pájaro. Luego descubría que no, que se trataba del claxon de un coche lejano, del grito de unos niños o del ladrido de un perro.

Una noche, que como de costumbre se había asomado por la ventana y estaba intentando atraer la atención de algún búho, se vio al fin correspondido. Lo oyó con toda claridad.

—*Hu, hu, hu—hu—hu, hu—hu...*

—¡*Leticia, Leticia, ven, corre!* —gritó emocionado a su mujer y, en seguida, para no espantar al animal, le respondió con voz suave, casi de enamorado:

—*Hu, hu—hu, hu—hu—hu, hu...*

El pájaro le respondió de la misma forma y estuvieron conversando así durante mucho rato, hasta que uno de los dos enmudeció.

Antonio aquella noche apenas pudo dormir. Puso el manual debajo de la almohada por si tenía que repasar algún detalle.

—¿*Lo ves Leticia?* —le dijo a su mujer—. *El sistema funciona. Y esto es sólo el principio. Ahora tengo que intentar entender lo que el búho quiere decir. Es sólo cuestión de paciencia.*

Ella no respondió porque hacía ya rato que estaba dormida.

A la mañana siguiente, Leticia salió temprano de su casa para ir a su trabajo. En la parada del autobús se encontró con una vecina y amiga.

—*Al fin Antonio ha podido comunicar con un búho. Yo no me lo creía, pero, mira...* —le dijo.

—¿Qué dices chica? —exclamó escéptica la amiga.

—Sí, hija . Fue anoche, después de las noticias de las diez. Estuvo ululando un buen rato y el búho le contestó. Lo oí perfectamente. Hu—hu... decía.

—Qué búho ni qué niño muerto, mujer. A esa hora estaba mi marido asomado por la ventana, delante de tu casa, ululando como un loco para ver si comunicaba con algún búho. El día de su santo le regalaron un libro que se titula algo así como "Aprenda a hablar con los búhos en quince días". ¡Tu marido y el mío estuvieron gritando como los búhos entre ellos! ¡Qué gracia!

## A. Imperativo

Complete las frases con los imperativos correspondientes a los verbos que estan, entre paréntesis.

1.—Antonio, ... (cerrar) ... la ventana, por favor. No, perdón, no la ..................................... todavía.

2.—Niño, ... (oír) ... lo que dice el profesor. Pero, no ................. ....................... sólo lo bueno, eh.

3.—Señora, ... (sentarse) ...en el sofá, pero no............................ en el lado derecho porque está mal.

4.—Antonio, ... (comprar) ... un periódico, pero no................... ...............“El País” porque ya lo tengo.

5.—Oye, ... (hacer) ... la cena tú, pero no.................................. tortillas, por favor.

6.—Niños, ... (poner) ... los libros en la mesa y no los.............. ....................... encima del televisor.

7.—Pedro, Juan, ... (venir) ... a comer a mi casa, pero no.......... ....................... tarde.

8.—*María, ... (decir) ... lo que has hecho, pero no se lo............*
............ *a José.*

9.—*Pepe, ... (elegir) ... un helado, pero no........................ dos.*

10.—Señor, ... (seguir) ... la calle, pero no..........................
hasta el final

11.—Pedro, ... (vestirse) ... como quieras, pero no ...................
aquí.

12.—Oye, tú, ... (lavarse) ... la cara, pero no............................
con mi jabón.

13.—Niños, ... (bañarse) ... en la playa, pero no........................
lejos de aquí.

14.—Escuchad, ... (levantarse) ... ahora del sofá, pero no .........
................... todos al mismo tiempo.

## B.  ¿Indicativo o subjuntivo?

Construya oraciones completas combinando las dos columnas.
Elija entre los presentes de indicativo y de subjuntivo.

1. *Creo que*
2. *No creo que*
3. *Quiero que*
4. *Me gusta que*

5. *He visto que*
6. *El médico ha aconsejado que*

7. *Me han dicho que*

8. *Es posible que*

9. *Dicen que*
10. *El profesor prohíbe que*
11. *Me irrita que*

a. *(hacer) frío.*
b. *Leticia (hablar) por teléfono.*
c. *la ventana (estar) abierta.*
d. *Antonio (seguir) en la ventana.*
e. *Antonio (imitar) a los búhos.*
f. *(tú—leer) los anuncios del diario.*
g. *la empresa (vender) el manual "Aprenda...".*
h. *(tú—hacer) caso de lo que pone en el libro.*
i. *(tú—engañar)*
j. *(tú—escuchar ) con atención.*
k. *(vosotros—oír) con claridad los ladridos.*

12. *Siento que*

13. *Lamento que*

14. *Dudo que*

15. *Sé que*

16. *Espero que*

17. *Confío en que*

18. *Sólo pido que*

19. *Es bueno que*

20. *Me imagino que*

21. *Puede ser que*

22. *Es difícil que*

23. *Estoy seguro que*

l. *(tú—estar) en casa todo el día.*

m. *(usted—poder) dormir aquí.*

n. *Leticia (poner) la leche en la nevera.*

ñ. *(tú—ver) bien los coches.*

o. *Leticia (salir) temprano de casa.*

p. *(tú—decir) la verdad.*


## C. Conteste a las preguntas

De acuerdo con la información que aporta el texto, responda a las siguientes cuestiones.

1. *¿De qué hablan Antonio y Leticia al principio de la historia?*
2. *¿Qué hace él después de cenar?*
3. *¿Por qué está tan emocionado una noche?*
4. *¿Qué pasa una mañana cuando Leticia  va a su trabajo?*
5. *¿Qué diría Leticia a Antonio cuando ella regrese a su casa por la noche?*
6. *¿Qué cree usted que hará el marido a partir de ese día?*


## D. Cuente la historia

La amiga de Leticia llega a su trabajo y le cuenta a una compañera lo que ha ocurrido. ¿Qué le diría?

# El Final

La mujer se levantó del banco, que estaba justo al lado de la avenida, cuando vio acercarse el coche rojo de su marido. Venía a toda velocidad. Frenó en seco. El conductor bajó la ventanilla y le hizo un gesto a ella para que se acercara.

—¡Por Dios, Ignacio! —dijo ella—. ¿Por qué corres tanto? Un día vas a matarte.

—No exageres, querida Isabel. Vamos, sube, que es tarde —le dijo él mientras abría la puerta delantera.

—¿Cómo te ha ido en la editorial? —preguntó ella—. ¿Les ha gustado la novela?

—Sí, pero quieren cambiar el final.

—¿Cómo es eso?

—*No es la primera vez. Dicen que parece una novela rosa. No les gusta que acabe bien, que el final sea feliz. Además, quieren más escenas violentas.*

—*¿Y tú, qué les dices?*

—*¿Qué quieres que les diga? Yo sólo sé escribir sobre cosas reales. Será porque no tengo fantasía. Todo lo que escribo es autobiográfico, es lo que me pasa a mí* —dijo él con un gesto de resignación. Pero cambió enseguida el tono de voz—. *¡Pero, si además mis novelas se venden muy bien!*

—*Entonces...*

—*Es que el editor dice que vendería mucho más con otro final. Claro, la gente se ha acostumbrado a las series de televisión y quieren más dramatismo, más acción.*

—*Puede ser.*

—*¿Sabes qué...?* —dijo él.

Hubo un largo silencio. El humo del cigarrillo de él la hizo toser. Ella bajó la ventanilla.

—*¿Qué?* —preguntó Isabel.

—*Que tú podrías escribir el final. Sólo se trata de diez o quince páginas.* —propuso él.

A ella no le parecía una mala idea. Otras veces ya le había ayudado escribiendo algún capítulo. De todas formas, se trataba de novelas que se vendían, sobre todo, en grandes almacenes, a un público poco exigente en cuestiones literarias.

—*¿Por qué no?* —dijo ella—. *Bueno, depende de cuándo sea la fecha límite.*

—*Tienes dos semanas. ¿Te parece bien?*

—*Como quieras* —dijo ella—. *Pero, por favor, no corras tanto con el coche. No tenemos ninguna prisa.*

Isabel se pasó varios días encerrada en la pequeña biblioteca de la casa e Ignacio se encargó de los quehaceres del hogar. Ella normalmente traducía novelas policíacas del inglés para la misma editorial. Ninguno de los dos tenía trabajo fijo y cuando uno de ellos trabajaba para la editorial, el otro no aceptaba ningún encargo y se responsabilizaba de las labores de la casa. Limpiaba, lavaba la ropa, preparaba la comida y fregaba los platos.

A los cinco días Isabel ya había escrito el nuevo final y se lo leyó a Ignacio en voz alta. A él le pareció bien.

—*Me gusta más mi texto* —dijo él—, *pero seguro que la editorial preferirá el tuyo. Aún no son las ocho. Lo voy a poder llevar al editor ahora mismo.*

—*Espera* —dijo ella—, me falta leer el último párrafo. "Al atardecer empezó a caer una fina lluvia y las calles se vaciaron de gente. El agente, al sentir las gotas de agua en la mano izquierda, cerró la ventanilla para no mojarse. Fumaba nervioso y el interior del coche se llenó de humo. Le irritaban los continuos obstáculos que encontraba en las calles de la ciudad: los conductores inexpertos —en su opinión— que tardaban siglos en arrancar cada vez que se paraban ante un semáforo, los perros que caminaban sin dueño y aparecían desde debajo de los coches sin previo aviso, los peatones que no respetaban las señales de tráfico... Dio un suspiro cuando al llegar al paseo marítimo pudo apretar el acelerador hasta el fondo. Era una calle amplia, casi vacía, que corría paralela al puerto. ¡Mierda! Alguien había dejado caer un líquido sobre el pavimento. ¿Aceite? El conductor pisó con fuerza el freno. Ya era tarde. El coche resbaló sobre la mancha oscura, chocó violentamente contra un poste y dio tres vueltas de campana. El agente sintió que volaba por el aire —no sabía con seguridad si todavía seguía vivo— mientras su coche de color rojo, deformado por los golpes, se encendía y se transformaba en una bola de fuego. Luego, la bola de fuego y él, casi al mismo tiempo, caían en el agua del mar y se perdían en sus entrañas".

Ignacio colocó el manuscrito en un sobre y salió de casa camino de la editorial. Tenía un poco de prisa y se puso nervioso porque al llegar abajo vio que estaba lloviendo y tuvo que subir otra vez a su casa a recoger el paraguas. Luego, empezó a irritarse por haber cambiado el final de la novela, sometiéndose a la opinión del editor, que ahora empezaba a parecerle un cretino. Mientras conducía hacia la editorial se iba enojando más y más. Los mejores novelistas escribían sobre sus experiencias personales, sobre sus propias vidas. ¿Por qué no lo iba a poder hacer él? Cervantes era un buen ejemplo de eso. Encendió un cigarrillo con la colilla del otro. Tuvo que cerrar la ventanilla para no mojarse con el agua de la lluvia. Fumaba nervioso y el interior del coche se llenó de humo. No podía humillarse de esta forma ante el editor. Tenía que reaccionar, decirle algo... Siempre le había parecido que el editor era una persona maligna. La rabia le hizo apretar el acelerador hasta el fondo al llegar al paseo que hay junto al puerto. ¡Estoy perdido! Alguien había dejado caer un líquido sobre el suelo. Ojalá no sea grasa o aceite. Ignacio pisó con fuerza el freno. Ya era tarde. El coche resbaló sobre la mancha oscura, chocó violentamente contra un poste y dio varias vueltas de campana. Ignacio sintió que volaba por el aire —no sabía con seguridad si todavía seguía vivo— mientras su coche de color rojo, deformado por los golpes, se encendía y se transformaba en una bola de fuego. Luego, la bola de fuego y él, casi al mismo tiempo, caían en el agua del mar y se perdían en sus entrañas.

## A. Complete las oraciones

Haga frases combinando las dos columnas:

| | |
|---|---|
| 1. *El coche venía* | a. *una mala idea.* |
| 2. *El coche frenó* | b. *campana.* |
| 3. *Aquello a ella le parecía* | c. *en seco.* |
| 4. *Ninguno de los dos tenía trabajo* | d. *nervioso.* |
| 5. *El coche dio varias vueltas de* | e. *a toda velocidad* |
| 6. *Como llovía, el señor se puso* | f. *fijo.* |

## B. ¿Subjuntivo o indicativo?

Complete las frases con la forma más adecuada del verbo que está entre paréntesis. Elija entre el presente de indicativo o el presente de subjuntivo.

1. *El editor dice que el libro ................. una novela rosa.* (parecer)
2. *Al editor no le gusta que el final ........................ feliz.* (ser)
3. *¿Qué quieres que les..................... yo?, preguntó él.* (decir)
4. *Pienso que todo lo que yo............... es autobiográfico.* (escrbir)

5. —¿*Puedes hacer la traducción?*
   —*Depende de cuándo*........................ *la fecha límite.* (ser)
   —¿*Te parece bien dentro de dos semanas?*
   —*Como tú* .........…................ (querer)
6. *No creo que al editor le*.................... *lo que he escrito.* (gustar)
7. *Seguro que la editorial*......................... *tu texto.* (preferir)
8. *Le irritan los perros que*....................... *sin dueño.* (caminar)
9. *No me gusta que*............................ *tanto.* (correr)
10. ¿*Es necesario que*........................ *dentro del coche?* (fumar)
11. *Me han dicho que no te*.....:....................... *mi novela.* (gustar)

## C. Pronombres personales

Complete las frases siguientes con los dos pronombres que faltan (como en la primera).

1. —¿Para quién son estos libros? ¿Por qué no ...*me los...* das a mí?
2. Isabel había escrito el nuevo final y .......................... leyó a Ignacio.
3. Juan había comprado un libro y ........................ mostró a su mujer.
4. —¿Te gustan estas novelas? ........................... pienso regalar a ti el día de tu santo.
5. La señora Negra había escrito una novela rosa ........................... publicaron.
6. Mi hermana había traducido las dos novelas y ........................... ha regalado una vecina a mi madre y a mí.
7. Niños, lo siento, hoy he tenido que dejar el vídeo a unos amigos. Mañana ......................................... dejaré a vosotros.

## D. Sopa de letras

En esta sopa de letras hay 16 palabras que aparecen en la lectura y que están relacionadas con el coche, con la novela o con el tabaco. ¿Qué palabras son? Observe que una misma letra puede servir para formar una o más palabras (en sentido vertical y en sentido horizontal). Si no encuentra las palabras, lea las definiciones de las mismas que aparecen después.

| V | E | L | O | C | I | D | A | D | F |
| E | D | I | T | O | R | I | A | L | U |
| N | E | F | E | R | P | O | O | O | M |
| T | S | R | N | R | A | P | E | C | A |
| A | C | E | L | E | R | A | D | O | R |
| N | E | N | E | R | R | G | I | L | F |
| I | N | A | N | H | A | I | T | I | R |
| L | A | R | D | U | F | N | O | L | E |
| L | O | O | E | M | O | A | R | L | N |
| A | O | O | R | O | S | A | O | A | O |

## Definiciones

- *Kilómetros por hora.*
- *Empresa que edita libros.*
- *En un coche, sirve para aumentar* (o reducir) *la velocidad.*
- *Color de una novela de amor.*
- *Se puede bajar* (y subir), *en un coche, para que entre el aire.*
- *Cada uno de los diferentes lugares que aparecen en una novela una obra de teatro o una película.*
- *Se usa para frenar un coche.*

- *Ir muy deprisa un coche, una persona etc.*
- *Lo que echa un cigarrillo.*
- *En un libro varias líneas, entre punto y aparte y punto y aparte.*
- *Cada una de las dos caras de las hojas de un libro.*
- *Persona que edita libros.*
- *El final de un cigarrillo, que no se fuma.*
- *Tener un cigarrillo en la boca y chupar* (aspirar) *el humo.*
- *Detener* (parar) *el coche.*

## E. Conteste a las preguntas

Responda a las siguientes cuestiones de acuerdo con la información aportada por el texto.

1. *¿Qué problemas tiene Ignacio con la editorial? ¿Qué piensa él?*
2. *¿Cómo soluciona el problema?*
3. *¿Cuál es el final que escribe ella?*
4. *¿Qué pasó en la realidad?*

## F. ¿Qué opina usted?

¿A usted le gusta leer novelas?. Entre las que ha leído, ¿hay alguna que le haya gustado?, ¿por qué?

Escriba su opinión o coméntela con sus compañeros.

# AMIGOS

El verano pasado fui con mi mujer y nuestros dos hijos pequeños a Italia. Pasamos nuestras vacaciones en un cámping, cerca de Venecia. Allí conocimos a una joven pareja de Polonia, que tenían su tienda de campaña cerca de la nuestra. Pasamos muchas tardes juntos jugando a las cartas o, simplemente, conversando. Aunque hablábamos todos un inglés bastante mediocre, nos pudimos entender bien.

A finales de agosto se terminaron nuestras vacaciones y tuvimos que regresar a España. Ellos se quedaban unos días más en Italia. Nos despedimos. Intercambiamos direcciones y prometimos que nos escribiríamos. Ellos nos ofrecieron su piso en el centro de Varsovia y nosotros les invitamos a pasar unos días en nuestra casa.

Al volver a España, entramos en seguida en la rutina de todos los días, en la habitual cadena de compromisos y obligaciones, y nos olvidamos de nuestros amigos. Ellos supongo que también se olvidaron de nosotros porque tampoco nos escribieron. No nos enviamos ni siquiera una felicitación por Navidad.

El verano siguiente decidimos pasar las vacaciones en casa. Vivimos en un chalet bastante grande, en un pueblo de la costa, no muy lejos de Bilbao. Yo aprovecharía para acabar un trabajo que tenía pendiente en la oficina donde estaba empleado, en Bilbao. Con lo que ahorraríamos podríamos hacer un viaje a Cuba el próximo año.

Llegaron las vacaciones. Yo me levantaba bastante tarde. Mi mujer y mis niños se iban a la playa y yo a media mañana cogía el tren para ir a Bilbao. Trabajaba un par de horas y regresaba al pueblo a eso de las tres de la tarde y entonces comíamos todos juntos en casa.

Una mañana, con el correo llegó una carta con sellos de Polonia. No entendí de quién podía ser. Tenía un poco de prisa para coger el tren y me llevé la carta, con otras, en el bolsillo. La abrí y la leí en el tren. Era de la pareja polaca que habíamos conocido en Italia el verano pasado. Este verano pensaban pasar sus vacaciones en España y se invitaban, ellos mismos, a pasar unos días con nosotros, en nuestra casa, antes de continuar hacia el Sur. Pensaban que esto nos alegraría. Me daba una pereza enorme tenerlos como huéspedes. No me hacía ninguna gracia que vinieran a casa. Apenas me acordaba de ellos. Lo único que creía recordar bien es que él era bastante pesado, que le gustaba contar chistes verdes y que hablaba mal de los italianos. Me imaginé que si venían a España se pasarían el día criticando nuestras costumbres. Y yo, encima, tendría que poner buena cara. Además, recordé también que cuando nos reuníamos para jugar a las cartas siempre era yo el que tenía que invitar a cerveza. Él siempre ponía alguna excusa.

Antes de bajar del tren había decidido que no íbamos a recibirlos. En la oficina les escribí una carta larga, muy amable. Les decía que me alegraba mucho de tener noticias suyas, pero que justo aquel mismo día salíamos de viaje y que pasaríamos todo el mes de agosto en México, en casa de unos parientes de mi mujer. Antes de volver al pueblo, eché la carta en el buzón y ya no volví a acordarme más de ellos.

Dos semanas más tarde volvía yo del trabajo, como de costumbre, poco antes de las tres de la tarde. Al acercarme a mi casa noté que había gente en el jardín. Cuando abrí la verja del jardín vi, sentados alrededor de la mesa, a mis hijos y a mi mujer, que conversaba animadamente con la pareja polaca. Junto a la puerta de la entrada a la casa había varias maletas y bolsos. Me quedé de piedra. A mi mujer yo no le había dicho nada sobre la carta que ellos nos habían escrito ni sobre mi respuesta. Se me había olvidado. Ellos, evidentemente, no la habían recibido antes de salir de su país. Mi carta les estaba esperando en su casa y la verían al regresar. Yo me acerqué a ellos como un autómata y les saludé con una falsa sonrisa. Yo aún no había decidido si iba a disimular, a hacer como si nada hubiera pasado, o si iba a buscar rápidamente otra excusa, algún tipo de explicación. Pero no se me ocurría nada. Tenía el cerebro bloqueado. Sólo pensaba intensamente dos cosas: que una excusa improvisada aún podría ser peor y, cuanto más tiempo pasaba, menos sentido tenía dar una excusa. Mientras ellos conversaban alegres, bebían cerveza y comían unas tapas que mi mujer les había ofrecido, sentados allí en mi jardín, yo estaba de pie, paralizado, con una sonrisa forzada y la mirada fija en las maletas...

## A.  ¿Pretérito indefinido o imperfecto?

Complete el siguiente texto con los sigueintes verbos. Elija entre el imperfecto o el pretérito indefinido: *invitar, poder, echar, volver, pasar, jugar, conocer, hablar, gustar, escribir.*

*El año pasado ........... nuestras vacaciones en Sevilla. Allí mi mujer y yo ........... a unos jóvenes polacos. Por la tarde ........... a las cartas. ........... mal el inglés, pero nos ........... entender. Yo les ........... a pasar unos días en mi casa. A uno de los jóvenes le ........... contar chistes y siempre ........... mal de los italianos. Yo les ........... una carta y la ........... en el buzón aquel mismo día. No ........... a acordarme de ellos.*

## B. Condicional

Complete los diálogos con el verbo subrayado en condicional, siguiendo el modelo.

—¿Sabes si María *trabaja* el domingo?
—Dijo que *trabajaría*, pero no trabaja.

1. —¿Hace *calor* en la playa?
—Pensaba que ...................., pero no hace.

2. —¿Sabes si Carlos *puede* venir mañana?
—Dijo que ...................., pero no sé si va a poder.

3. —¿*Vienen* tus hijos?
—Pensaba que ...................., pero no vienen.

4. —¿Tu padre *va* a Polonia?
—Pensaba que ...................., pero no va.

5. —¿Se *quedan* en el hotel los polacos?
—Pensaba que se ...................., pero no se quedan.

6. —¿*Llueve* en Bilbao?
—Dijeron que ...................., pero de momento no llueve.

7. —¿*Ha escrito* Eva?
—Dijo que ...................., pero no lo ha hecho.

8. —¿*Ha pedido* vacaciones tu mujer?
—Todavía no, pero ha dicho que las .................... .

9. —¿Dónde *ha puesto* el coche tu hijo?
—Dijo que lo .................... en el garaje.

## C. Combine

Une las palabras de la columna de la izquierda con las definiciones correspondientes que aparecen en la columna de la derecha.

| | | | |
|---|---|---|---|
| 1. | Una pareja | a. | Dar una cosa y recibir otra |
| 2. | Tienda de campaña | b. | Además |
| 3. | Mediocre | c. | Dos personas |
| 4. | Intercambiar | d. | Observar |
| 5. | Chalet | e. | Se usa en los cámpings |
| 6. | Pendiente | f. | No es auténtica |
| 7. | Huésped | g. | Familiar |
| 8. | Encima | h. | Puerta |
| 9. | Pariente | i. | Casa con jardín |
| 10. | Notar | j. | Más malo que bueno |
| 11. | Verja | k. | Invitado |
| 12. | Falsa | l. | Todavía no se ha hecho |

## D. ¿Ser o estar?

Complete las frases con la forma adecuada del verbo *ser* o *estar* en presente de indicativo.

1. ¿Dónde ................................. el coche?
2. Mis hijos ................................... todavía muy pequeños.
3. Eva .................................. de Bilbao, pero ahora ...............
 ........... en Sevilla.
4. El pueblo ................................. muy grande.
5. El señor .............................. policía, pero ahora .................
 ........... empleado en la oficina.
6. ¿Por qué .............................. triste, Juan? ¿Qué ha pasado?
7. María .............................. una chica muy alegre.
8. Perdona, chico, hablo poco porque .......................................
 cansado.
9. —¿No .............................. de color blanco la mesa?
 —Sí, pero es que ................................. un poco sucia.

10. —Y tú, ¿................................ *feliz, Sofía?*
    —*Sí, pero hoy ............................. un poco triste.*

## E. Cuente la historia

La mujer, unos días más tarde, cuenta la historia a su madre. ¿Qué le cuenta? ¿Cómo acaba la historia? .Cuéntela usted a sus compañeros de clase o escríbala.

## F. Cuente su experiencia

¿Ha tenido usted una experiencia similar? ¿Qué ocurrió y cómo actuó usted?. Escriba su experiencia o cuéntesela a sus compañeros.

—¿El señor Sacristán?

—Sí, soy yo. ¿De parte de quién?

—Buenos días, don Gustavo. Soy Solana, el director del Banco Popular. Le llamo por el asunto del aval.

—¿Qué aval? Que yo sepa yo no tengo ningún aval. Si tuviera uno me acordaría.

—Sí, sí... Lo tengo aquí. Se trata del aval que usted firmó el año pasado a favor de Ignacio Suárez.

—¿El hijo de Roberto Suárez? Pues, la verdad, no recuerdo... ¿Se trata de un préstamo?

—Sí, solicitó un préstamo de cinco mil euros y no hay manera de cobrarlo. Por eso le llamo.

—Ah, perdone. Claro, claro. Soy un despistado. ¿Cinco mil euros ha dicho? Ahora mismo le envío un cheque.

En ese mismo instante, no muy lejos de allí, Ignacio Suárez, un joven estudiante, conversa con una amiga en una cafetería de la estación de Chamartín. Él tiene muy mal aspecto. Está pálido, va despeinado y lleva barba de varios días.

—*No tienes buena cara, Ignacio. ¿Dónde has estado todo este tiempo?* —le dice ella.

—*Me he escondido. La verdad es que me quería morir. Estoy desesperado. A ti te lo puedo contar, Ana. Llevo varios días durmiendo en la calle. Como sabes, mis padres viven en Toledo y me pasan todos los meses una pequeña pensión para que yo pueda estudiar aquí, en Madrid. Los dos últimos años han sido un desastre para mí y he gastado más de lo que tenía. Jugué a la bolsa y he perdido mucho dinero. Si hubiera vuelto a Toledo antes de acabar el curso y sin dinero mis padres habrían tenido un tremendo disgusto. Y no me podía quedar en Madrid porque tenía muchas deudas. Si me vieran mis acreedores me pegarían una paliza. Son gente que no se andan con miramientos. Sólo había una salida: pedir un préstamo.*

Ana lo miraba angustiada. Ignacio tenía los codos apoyados sobre la mesa, la cabeza hundida entre las manos y la vista fija en la superficie de la mesa. Continuó hablando en voz baja, como si no quisiera que ella le oyera.

—*Pedí un préstamo en el Banco Popular. Entonces pensaba que podría pagarlo en el plazo de un año. Pensaba trabajar por las noches en un restaurante y estudiar de día. Pero ha sido imposible y al final no he hecho bien ninguna de las dos cosas. El plazo del préstamo ha vencido y ahora sólo me queda una solución: salir de aquí, huir.*

—*Pero, puedes hablar con el banco, hombre. Todo tiene una solución*—intenta consolarle ella—. *Además, cinco mil euros tampoco es una cantidad tan grande. Si quieres yo te acompaño al banco.*

—*No, ya es tarde* —contesta él con la voz triste de quien ya no ve ninguna salida—. *Lo grave es que para pedir el aval falsifiqué la firma de un buen amigo de mi padre. El banco le va a llamar y se va a descubrir todo. Por falsificar una firma te pueden meter en la cárcel. Ya no puedo seguir aquí. Dentro de diez minutos sale mi tren. Voy a salir de España. Quizás vaya a Portugal.*

—*Por favor, Ignacio, esto no lo puedes hacer. No solucionas nada huyendo. Por lo menos tienes que hablar con el amigo de tu padre y contarle lo que ha ocurrido. Él valorará tu arrepentimiento.*

—*Quizás tengas razón. Voy a llamarle antes de irme, para pedirle perdón. Por lo menos habré hecho algo bueno. Déjame tu teléfono.*

## A. Continúe usted la historia

¿Cómo explica el chico lo sucedido a Gustavo Sacristán? ¿Qué le contesta el señor?

¿Cómo termina la historia?

Escriba usted el diálogoque mantendrían.

## B. Forme oraciones

Forme oraciones completas combinando los elementos de las dos columnas.

| | |
|---|---|
| 1. *Ana firmó un aval* | a. *buena cara.* |
| 2. *No hay manera* | b. *he estado en mi casa.* |
| 3. *El joven lleva barba* | c. *meter en la cárcel.* |
| 4. *Ignacio no tiene* | d. *tremendo disgusto.* |
| 5. *Todo este tiempo* | e. *de cobrar el dinero.* |
| 6. *Mis tíos me pasan* | f. *un préstamo.* |
| 7. *El señor ha tenido un* | g. *en el plazo de tres días.* |
| 8. *Aquellos señores no se andan* | h. *vence el viernes.* |
| 9. *Tengo que pedir* | i. *a favor de su tío.* |
| 10. *El dinero tienes que pagarlo* | j. *una pequeña pensión.* |
| 11. *El plazo del préstamo* | k. *con miramientos.* |
| 12. *A Ignacio lo pueden* | l. *de varios días.* |

## C. *Si* + imperfecto de subjuntivo

Complete las frases con la forma correcta de los verbos que aparecen entre paréntesis (condicional o imperfecto de subjuntivo), como en el modelo.

Si ...(tener)... *deudas las* ...(pagar)...

Si ...*tuviera*... deudas las ...*pagaría*...

1. *Si tú me* ...(enviar)... *un cheque* ...(poder)... *pagar mis deudas.*
2. *Estás pálido. Si* ... (tomar)... *el sol* ...(tener)... *mejor color.*
3. *Si yo* ...(esconderse)... *mis acreedores no me* ...(encontrar)...
4. *Si tu* ...(estudiar)... *más* ...(hablar)... *mejor el inglés.*
5. *Si nosotros* ...(vivir)... *en Toledo* ...(tener)... *una casa mejor.*
6. *Si usted* ...(quedarse)... *en Madrid* ...(poder)... *trabajar en mi oficina.*
7. *Si tú* ...(hablar)...*más alto yo te* ...(oír)...*mejor.*
8. *Si tú* ...(querer)... *ir al banco conmigo te lo* ...(agradecer)...
9. *Si no* ...(hacer)... *tanto frío* ...(haber)... *más gente en la calle.*
10. *Si tú* ...(llamar)... *a tu padre el problema se* ...(solucionar)...
11. *Si* ...(pedir)... *perdón tu padre te* ...(perdonar)...

## D. Complete el diálogo

Complete el diálogo con las expresiones que hay al principio del texto. Usted es el señor Sacristán.

—*¿El Señor Sacristán?i*
—*Sí* ...(1)... . ...(2)...
—*Buenos días.* ...(3)... *el director del Banco.* ...(4)... *el asunto del coche.*
—*¿Qué coche?* ...(5)...*no tengo ningún coche.*
—...(6)... *del coche que usted alquiló hace una semana.*

(1): *Usted dice que sí, que es usted.*

(2): *Usted quiere saber quién llama.*

(3): *Él se presenta.*

(4): *Dice por qué llama.*

(5): *Usted no sabe que tiene coche.*

(6): *Estoy hablando.*

# E. Preposiciones

Complete el siguiente texto con las preposiciones que faltan.

*Juan habla ...(1)... voz baja. Dice: Necesito dinero ...(2)... comprar un coche. Jugué ...(3)... la bolsa y he gastado más ...(4)... lo que tenía. Trabajo ...(5)... las noches, pero no gano mucho. He pedido un préstamo ...(6)... mil euros en el banco. Y ahora no hay manera ...(7)... cobrarlo. Quizás es porque llevo barba ...(8)... varios días. El banco no está lejos ...(9)... aquí. Antes de acabar la película de la tele iré allí. El director es muy duro y no se anda ...(10)... miramientos. Pero, puedo tener suerte. Ya veremos.*

# El perro fiel

A media mañana Juan toma un cortado y un bocadillo en el bar Neptuno. Es profesor de música y da clases particulares. En el bar lee el periódico y mira las páginas de anuncios. Se oyen las campanas de la iglesia. El sonido es triste, melancólico.

—*Es verdad, hoy entierran al señor Guarino* —comenta Alonso, el dueño del bar, mientras recoge la vajilla de las mesas que hay en la acera. Aunque ya ha llegado el invierno, al sol no hace frío.

Juan no dice nada. Sigue mirando los anuncios. Vive realquilado en una pequeña habitación. La dueña de la casa es una viuda que se va a casar dentro de poco y Juan va a tener que buscarse otro sitio. Le gustaría poder vivir en un piso propio, pero los alquileres son demasiado caros y, con su sueldo, no puede pagarlos.

Alonso sigue hablando. Está acostumbrado a los monólogos:

—*Tantos millones que tenía el señor Guarino y, ¿qué? Vivía solo como una rata. Es verdad, como dicen, que el dinero no da la felicidad. Desde luego, si yo tuviera su dinero no trabajaría tantas horas.*

Juan ha visto una vez más que no hay ningún piso para él. Deja el diario sobre la mesa y dice que sí, que es verdad. Igual podía haber dicho que no, porque no ha oído lo que Alonso le ha dicho. Éste sigue hablando:

—*Mire qué perro más sucio. ¿No es el perro del señor Guarino? Parece el perro de un vagabundo. A ver qué hace el Ayuntamiento.*

El perro es un san bernardo de ojos grandes y tristes y pelo sucio. Juan le echa trozos de su bocadillo. El perro se acerca a él y Juan lo acaricia. Se siente tan abandonado como el perro.

*        *        *

La misma escena se repitió varios días. Cuando Juan salía de la casa de sus alumnos, el perro estaba esperándole. Juan le daba algo de comer y el perro le seguía hasta su casa y luego desaparecía. Cuando Juan tomaba su bocadillo en la terraza del bar Neptuno, pasaba el perro por allí y Juan le echaba algo de comer.

—*Vamos, déjelo* —le dice Alonso—. *¿No ve que el perro puede tener alguna enfermedad? Lleva ya más de una semana solo. Es un peligro para el pueblo. Ayer estuve en el Ayuntamiento y me dijeron que lo han estado buscando varios días para sacrificarlo. Mucha gente ha pedido que lo maten. ¡Quién sabe si tiene la rabia! Les dije que les avisaría si lo veía. Voy a llamar para ver si pueden venir ahora. Cuidado, que no se vaya.*

Juan acaricia al perro y le da de comer. Si tuviera un piso propio lo podría llevar con él a su casa. Pero es imposible.

El perro parecía que había entendido las intenciones de Alonso, porque se alejó. Juan le siguió. Subieron por una calle estrecha, hacia la salida del pueblo. Llegaron frente a la casa del señor Guarino. La verja estaba abierta. Juan entró, detrás del perro, en el momento en que aparcaba un coche de la Guardia Civil y bajaban de él tres hombres. Juan reconoció a dos guardias y a Alonso. Los guardias llevaban una gran red para atrapar al perro.

—¿*Muerde?* —preguntó uno de los guardias con miedo.

El perro escarbaba la tierra con una pata. Juan estaba a su lado. Alonso y los guardias estaban junto a la verja, mirando. Se acercaron cuando vieron que en el suelo aparecía una caja de metal y el perro se puso a ladrar. Juan se agachó y levantó la caja que estaba cubierta de tierra. La abrió, dentro había una hoja de papel con la firma del señor Guarino:

"Como no tengo herederos, he pensado mucho a quién puedo dejar mi fortuna. Los últimos días de mi vida he enseñado a Dabo, mi perro, que si una persona le trata con cariño y le da de comer, él la debe traer a este jardín y mostrarle dónde se encuentra esta caja. Dejo toda mi fortuna a la persona que la encuentre. Mi notario, el señor Bartolomé M. Ródenas, tiene mi testamento completo..."

Juan miró al perro y se le escapó una lágrima de alegría.

# A    Conteste a las preguntas

Conteste las siguientes preguntas basándose en la información que aporta la lectura.

1. *¿Por qué miraba Juan los anuncios?*
2. *¿Qué le dice Alonso a Juan?*
3. *¿Por qué está sucio el perro? ¿Cómo crees que vivía antes?*
4. *¿Qué relación tenían Juan y el perro? ¿Qué hacían?*
5. *¿Qué pensaba Alonso?*
6. *¿Qué hace Alonso cuando ve al perro en el bar?*
7. *¿Por qué se alejó del bar el perro?*
8. *¿Qué hizo Juan?*
9. *¿Qué hizo el perro en el jardín? ¿Qué encontró? ¿Por qué estaba allí?*
10. *¿Por qué estaba alegre Juan? ¿Cómo iba a ser su futuro?*

## B. Sustantivos

Complete las frases con los sustantivos que faltan.

1. *Juan da ................................ particulares.*
2. *El ........................... de las campanas es triste.*
3. *El ........................... del piso es muy caro.*
4. *Alonso dice que el dinero no da la ............................. .*
5. *Juan y el perro llegaron a la casa. La ........................... estaba abierta.*
6. *Los guardias llevaban una ........................... para atrapar al perro.*
7. *El perro escarbaba la tierra con una ........................... .*
8. *Bartolomé M. Ródenas es ........................... y él tiene el ........................... que había escrito el señor Guarino.*

## C. Tres verbos

Complete los diálogos con la forma en presente de indicativo de los siguientes verbos: *sentirse, decir, encontrar.*

1. —*Juan está triste.*
   —*Sí, ........................... abandonado.*
   —*Bueno, en este pueblo todos nosotros........................... un poco abandonados.*
2. —*¿Quién lo ........................... ?*
   —*Yo no lo ........................... .¿Por qué no lo........................... ........................... tú?*
   —*No, hombre, no, nosotros no ........................... nada.*
   —*Bueno, ya lo ........................... yo: Juan se va a casar con la viuda.*
3. —*Juan dice que no ........................... piso.*
   *Si vosotros ........................... uno, por favor, hablad con él.*
   —*Yo a veces en el periódico ........................... alguno, pero son caros.*

## D. Frases condicionales con si

Conteste a las preguntas siguiendo el modelo del ejemplo.

— ¿Es verdad que Juan no **se lleva** el perro a su casa porque no **tiene** piso propio?

— Eso es. **Si tuviera** piso propio **se llevaría** el perro a su casa.

1. — ¿Es verdad que no puede **seguir** en el piso porque **se casa** la viuda?
   —Eso es. Si .......................................
2. — ¿Es verdad que **se siente** abandonado porque no **tiene** piso?
   —Eso es. Si .......................................
3. — ¿Es verdad que Enrique **deja** su fortuna al Ayuntamiento porque no **tiene** herederos?
   —Eso es. Si .......................................
4. — ¿Es verdad que el perro **muerde** porque el dueño no le **trata** con cariño?
   —Eso es. Si .......................................
5. — ¿Es verdad que no **vamos** a la piscina porque **hace** frío?
   —Eso es. Si .......................................
6. — ¿Es verdad que tus amigos no **hacen** un viaje porque no **tienen** dinero?
   —Eso es. Si .......................................
7. — ¿Es verdad que no **encuentras** piso porque no **lees** los anuncios?
   —Eso es. Si .......................................
8. — ¿Es verdad que no **trabajas** más porque no **tienes** ordenador?
   —Eso es. Si .......................................

## E. Cuente la historia

Dabo, el perro del señor Guarino, se encuentra a unos amigos (también perros) y les explica lo que ha pasado. Cuente la historia que Dabo contaría.

## F. Escriba dos anuncios

Usted ha llegado a Madrid y necesita un piso. Además desea dar clases particulares de idiomas. Escriba dos anuncios relativos a estos dos temas.

## G. ¿Qué opina usted?

¿El dinero da la felicidad? ¿Cuáles son los argumentos más corrientes a favor y en contra de esta afirmación?

## H. ¿Qué haría usted?

¿Qué haría usted si heredara una gran fortuna? Escriba una lista con las cosas que haría y coméntela con sus compañeros de clase.

# La plaza

Sebastián venía a sentarse en uno de los bancos de hierro forjado que rodean la plaza que hay cerca de mi casa. Llegaba temprano por la mañana con el diario que había comprado al bajar del autobús, y se sentaba a leerlo. Poco después iban llegando los otros hombres y mujeres. Yo solía sentarme un rato, también muy temprano, al volver del mercado con el carrito de la compra. Más tarde, a media mañana,

los bancos del lado soleado ya estaban todos ocupados. Las personas que llegaban después tenían que sentarse en los lados a los que, en invierno, no llegan los débiles rayos del sol.

Yo conocía bien a los hombres y mujeres que pasaban allí la mañana. Eran todos del barrio, excepto Sebastián, que vivía lejos, en otra parte de la ciudad. No nos explicábamos porqué venía a "nuestra" plaza con tanta frecuencia y menos teniendo en cuenta que el viaje en autobús era bastante pesado.

A la hora de la comida Sebastián se levantaba. Era alto y delgado, caminaba arrastrando los pies, algo encorvado, apoyándose en un bastón. Se abrochaba la chaqueta de pana, se calaba la boina negra hasta las orejas y se despedía de todos con un gesto distinguido. Antes de alejarse se despedía también de la bella escultura de bronce que se levanta en medio de la plaza: una mujer joven, de esbelta figura, pobremente vestida, que lleva una cesta ancha y poco profunda con pescado sobre la cabeza. Es probablemente una gitana y lleva el pelo recogido en un moño.

¿Podría ser aquella mujer la que le atraía a la plaza? Es lo que algunos pensaban. Yo le había sorprendido más de una vez con la mirada fija en aquella mujer de bronce, que tenía la cabeza vuelta precisamente hacia el lugar donde él solía sentarse. Sebastián la miraba con evidente emoción. Hasta parecía que movía los labios, como si estuviera hablando con ella.

Un día no pude contenerme más y, aunque me parecía un poco atrevido, se lo pregunté. Creo que no le sorprendió la pregunta. Me dijo:

—*No le puedo decir ni que sí ni que no. Hay algo en esta escultura que me fascina, pero no sé qué es. La vi por primera vez hace un par de años, cuando pasé por esta plaza. Para mí, venir aquí ha sido luego como una necesidad. No le puedo decir por qué. Ni yo mismo lo sé. Pero, mire, ¿usted ha encontrado explicación a todo lo que hace?*

Yo procuraba siempre sentarme cerca de él y hablábamos de tiempos pasados. Me contó que su padre había sido marino y había muerto. Su madre no pudo alimentar a sus cuatro hijos y los abandonó en un orfanato. Él era el último de los hijos, entró en el orfanato cuando apenas tenía un año y no volvió a ver a su madre. Había perdido el contacto con sus hermanos, aunque sabía que uno de ellos, que tenía diez años más que él, vivía en Madrid.

Un día vino muy alegre porque había localizado a su hermano de Madrid, que se llamaba Claudio, y habían hablado largo rato por teléfono. La conversación les había emocionado mucho a los dos. Sebastián quería conocer cosas de sus padres, de sus hermanos y de su infancia.

A partir del día siguiente Sebastián no vino más a la plaza. Pensamos que era porque su hermano habría llegado y que quizás estaría con él. Pero no fue por eso. Había caído gravemente enfermo, lo tuvieron que ingresar en el hospital y murió poco después, antes de que llegara su hermano.

En el entierro de Sebastián conocí a su hermano y también a su mujer y a sus dos hijas. Claudio, su hermano, me mostró un álbum con fotografías de la familia, que había traído para mostrárselas a Sebastián. Mirando las fotos reconocí en seguida a la madre de los dos hermanos.

—*Pero si es la mujer que está en la plaza de San Pedro, en mi barrio, quiero decir la escultura...* —dije.

—*Es verdad. Nuestra madre era gitana. Había vivido un tiempo con un escultor y había sido modelo de varias de sus obras. Una de ellas es precisamente la que está en aquella plaza. No era un gran escultor, pero...*

—*Es curioso. Su hermano Sebastián no sabía que aquella mujer era su madre y, sin embargo, la escultura le había atraído tanto...*

## A. Condicional: si...

Complete los siguientes diálogos como en el modelo, utilizando los dos verbos que aparecen en cursiva.

—¿Cuánto *cuesta* esta radio?
—4.000 pesetas.
—¿*Es* nueva?
—No. Si *fuera* nueva *costaría* 8.000.

1.  —¿Cuánto *tarda* el autobús en llegar a Madrid?
    —Dos horas.
    —¿*Pasa* por Toledo?
    —No. Si ................................ por Toledo..........................
    tres horas.

2.  —¿*Entiende* lo que *pone* en el letrero?
    —Pone que no se puede fumar.
    —¿Lo pone en alemán?
    —No, en inglés. Si lo................................ en alemán, no
    lo ..................................... .

3.  —La comida aquí *es* siempre estupenda.
    —Gracias.
    —¿La *hace* usted?
    —No, hombre, no. Si la...............................yo no...............
    .................tan buena.

4.  —*Dígame* qué hora es, por favor.
    —No puedo.
    —¡Cómo! ¿No lo *sabe*?
    —No. Si lo................................ se lo ...............................

5.  —¿Se va a *comprar* el coche?
    —Todavía no.
    —¿No *tiene* dinero?
    —Eso es. Si.................................. dinero lo ....................
    ...........................

6.  —¿No *vienes* a la fiesta?
    —No, lo siento.
    —¿No *puedes*?
    —Así es. Si............................. ir ...............................

7. —¿Le gustan los zapatos? ¿Los *compra*?
   —*Son* demasiado pequeños.
   —¿Sí?
   —Sí. Si.............................. más grandes los ...................
   ...................... .

8. —El próximo martes *voy* a Madrid.
   —¿En avión?
   —No, *voy* en tren.
   —Yo si............................ a Madrid ...........................
   en avión.

9. —Necesito mil euros.
   —¿Por qué no se los pides a tu padre? Él te los dejará.
   —Si yo se los................................. él me los .................
   ...................... , pero no quiero.

# B. ¿Pretérito indefinido o pretérito imperfecto?

Complete los siguientes textos con las formas adecuadas de los verbos que están entre paréntesis.

1. *Todas las mañanas Sebastián venía a la plaza. … (llegar)… temprano y … (sentarse)… a leer el diario. Yo … (soler)… sentarme también allí al volver del mercado. Yo … (conocer)… bien a la gente que …(sentarse)… allí. …(Ser)… casi todos del barrio, excepto Sebastián, que …(vivir)… lejos de allí.*

2. *A Sebastián le …(gustar)… hablar de su vida. Un día le …(preguntar)… por qué …(mirar)… siempre la escultura con tanto interés. Me …(decir)… que no …(saber)… por qué lo …(hacer)…. También me …(decir)… que no …(saber)… quién …(ser)… aquella mujer.*

3. *Un día …(venir)… a la plaza muy alegre. "Ayer …(hablar)… con mi hermano", me …(decir)……. . Sebastián …(estar)… muy emocionado. Le había hecho muchas preguntas a su hermano porque …(querer)… conocer cosas de su infancia.*

4. *Al día siguiente Sebastián no ...(venir)... a la plaza. ...(caer)...*
*enfermo. Lo ...(tener)... que ingresar en el hospital y ...(morir)...*
*dos días más tarde. En el entierro ...(conocer)... a su hermano,*
*que me ...(mostrar)... varias fotografías. En una de ellas yo*
*...(reconocer)... a su madre. ...(Ser)... una mujer joven que, en la*
*fotografía, ...(tener)... menos de veinticinco años, y ...(llevar)...*
*el pelo recogido en un gran moño.*

# C. Crucigrama

*HORIZONTALES:*

**B.** Ruidos.—(Al revés) 3º per. sg. del presente de indicativo del verbo comer. **C.** Lo contrario de "facilidad". **D.** 1º per. sg. del pretérito indefinido del verbo ver. **E.** 3º per. sg. Presente de indicativo del verbo ir.— Hombre que asiste (ayuda) en el bautismo de un niño o que protege a alguien. **F.** Pronto por la mañana.— Entregar, regalar. **G.** Papel (en el teatro, por ejemplo).—1º per. sg. pretérito indefinido del verbo dar.— Hombre que no está bien de la cabeza (demente). **H.** Saca de la cabeza (o parte del cuerpo) por una puerta o ventana.—1º per. sg. presente de indicativo del verbo saber. **I.** Mes del año.—Consonante doble. **J.** Expresión de júbilo.

*VERTICALES:*

**1.** Campeón.— Pronombre posesivo. **2.** (Al revés) hombre osado (poco prudente o poco discreto). **3.** Conjunción copulativa (ejemplo: "No come, no bebe"= "... come ... bebe".—Dueño, propietario. **4.** (Al revés) final, terminación (palabra que pone cuando termina una película).— Lugar donde está la escultura de bronce de la gitana (la madre de Sebastián). **5.** 1º per. sg. pretérito indefinido del verbo dar.— La estrella que nos da luz. **6.** Que no está libre. **7.** De ella, de él.— La patata es un vegetal, el diamante es un mineral y el perro es un ... **8.** Parte lateral (el cuadrado tiene cuatro ..., el triángulo tiene tres). **9.** (Al revés) piel.— Exclamación. **10.** Esposos (hombres casados). **11.** ( Al revés) número.—Empezar a vivir. **12.** Metal de mucho valor (símbolo químico: Au).— Voz de arrullo.

## D. Complete las frases

Complete las frases con una de las palabras de la bolsa.

1. *Sebastián se sentaba en los bancos de* ...................................
   *forjado.*
2. *Llegaba* ......................................... *por la mañana.*

Carrito Pies
Hierro Oreja Cesta
Pana Bastón
Soleado Pesado
Orfanato Temprano

3. *Yo venía del mercado con el* .............................. *de la compra.*
4. *Los bancos del lado* .............................. *de la plaza estaban ocupados.*
5. *El viaje en autobús era* .............................. .
6. *Sebastián caminaba arrastrando los* .............................. .
7. *Se apoyaba en un* .............................. .
8. *Llevaba una chaqueta de* .............................. .
9. *Se calaba la boina hasta las* .............................. .
10. *La mujer llevaba una* .............................. *de pescado.*
11. *Sebastian, cuando era pequeño, vivía en un* .............................. .

## E. Conteste a las preguntas

Responda a las siguientes cuestiones basándose en la información contenida en la lectura.

1. *¿Cómo era Sebastián?*
2. *¿Qué hacía por las mañanas?*
3. *¿Por qué iba a la plaza?*
4. *¿Por qué tenía interés en hablar con su hermano?*
5. *¿De qué habló durante el entierro de Sebastián su hermano?*

## F. Hable de una ciudad

Piense en una calle, una plaza o un rincón de su ciudad o de una ciudad que usted conozca. Escriba o explique a sus compañeros cómo es el lugar, qué gente hay por allí, qué hace usted cuando va y qué recuerdos le trae a usted.

# Clave de los ejercicios

## La forastera

**A.** 1. *juegan, juegas, juego;* 2. *podéis, podemos, puedo;* 3. *vuelve, vuelvo, volvemos;* 4. *te sientas, me siento, os sentáis, nos sentamos.*

**B.** 1. *rodeado;* 2. *docena;* 3. *tantas;* 4. *voz alta;* 5. *mediana;* 6. *aire;* 7. *curiosidad;* 8. *pulsa;* 9. *apenas;* 10. *parece;* 11. *deja de.*

**C.** 1. *nadie;* 2. *nada;* 3. *ningún;* 4. *alguien, nadie;* 5. *algún, ninguno;* 6. *algo, algún;* 7. *algunos;* 8. *ninguna;* 9. *alguna.*

**D.** 1. *poco a poco;* 2. *debe de haber;* 3. *No se oye más que;* 4. *apenas;* 5. *vuelve a poner;* 6. *al entrar.*

**E.** Respuesta libre. (R.L.)

**F.** R.L.

## Vida de perro

**A.** 1. *tuyo, mío, mi (su,tu);* 2. *vuestros, suyo;* 3. *suyos, nuestros;* 4. *tuya, mía;* 5. *mi, mía, sus.*

**B.** 1. *me;* 2. *se;* 3. *se;* 4. *Me;* 5. *se;* 6. *nos;* 7. *nos;* 8. *nos;* 9. *se;* 10. *se.*

**C.** 1. *personalmente;* 2. *retirado;* 3. *Nochebuena;* 4. *orillas;* 5. *pie;* 6. *mojado;* 7. *oídos;* 8. *iluminada;* 9. *acompaña;* 10. *palacio;* 11. *pulgas;* 12. *veterinario.*

**D.** 1. *está durmiendo (duerme);* 2. *duermen;* 3. *dormimos;* 4. *durmió;* 5. *dormí;* 6. *duerman.*

**E.** R.L.

**F.** R.L.

## El chorizo

**A.** 1. *vi;* 2. *dijo;* 3. *hicimos;* 4. *quiso;* 5. *vio, dijo;* 6. *estuvo;* 7. *vieron;* 8. *hizo.*

**B.** 1. *selo;* 2. *melo;* 3. *selos;* 4. *sela;* 5. *telas;* 6. *noslos;* 7. *telo;* 8. *selo.*

**C.** R.L.

**D.** 1. *dejaron;* 2. *hacía (hizo);* 3. *hizo;* 4. *estuvieron;* 5. *dormía;* 6. *era;* 7. *miró;* 8. *partió;* 9. *quedaron (estuvieron).*

**E.** R.L.

**F.** R.L.

## El adivino

**A.** **1.** curiosidad; **2.** aceitunas; **3.** despedir; **4.** almendro; **5.** aperitivo; **6.** canas; **7.** betún; **8.** adivino; **9.** cuervo; **10.** entierro; **11.** mármol; **12.** inseguro; **13.** recomendar. (**VERTICAL:** supersticioso).

**B.** a. *cómodo;* b. *despedir;* c. *terminar;* d. *par;* e. *claro;* f. *delgado;* g. *inseguro;* h. *cerrar;* i. *atento;* j. *bajar;* k. *acercarse.*

**C.** 1. *decían, adivinaba, preguntaban, hablaba, entendía, ocurría;* 2. *quedaba, había, trabajaban, era;* 3. *reunió, invitó, conversó;* 4. *pasó, estaba, dio;* 5. *habló, quedó, dijo, necesitaba.*

**D.** 1. *es capaz de;* 2. *ocurría;* 3. *quedaba;* 4. *en busca;* 5. *propias;* 6. *echar;* 7. *hacían ver;* 8. *oír lo peor;* 9. *se quedó.*

**E.** 1. *diré;* 2. *haré;* 3. *tendré;* 4. *sabré;* 5. *Iré;* 6. *querrá;* 7. *podré;* 8. *iré.*

**F.** R.L.

**G.** R.L.

## La tía Aurelia

**A.** *subió; tenía; ponía; abrió; sacó; miró; Parecía; tenía; tenía; caía; entró; miró; estaba; Hacía; llegó; bajó; esperaba; vio; se puso; llevaba; fueron.*

**B.** 1. *Abuela*; 2. *tía*; 3. *prima*; 4. *abuelos*; 5. *madre*; 6. *hermano*; 7. *hijo*; 8. *hijo.*

**C.** 1. mano; 2. estómago; 3. rostro; 4. pelo; 5. oreja; 6. hombro; 7. cuello; 8. nariz; 9. brazo; 10. pierna; 11. pie; 12. ojo; 13. cabeza; 14. cintura.

**D.** a-4, b-14, c-5, d-8, e-2, f-13, g-10, h-1, i-9, j-3, k-6, l-12, m-11, n-7.

**E.** 1. *la que*; 2. *el que*; 3. *el que*; 4. *los que*; 5. *cuya*; 6. *cuyo.*

**F.** R.L.

**G.** R.L.

**H.** R.L.

## La prisión

**A.** **1.** *trabajaba; conocía; consiguió; leí; fui; recibió; llevaron; dijo; se encontraba; cogió; contó; era.*

  **2.** *tenía; me quedé; nos despedimos; quiso; era; intentó; estaba; Estaba; me enfadé; di; perdió.*

**B.** Juan, que trabajaba en mi periódico, está en la prisión. Es difícil hablar con él. ¿Por qué? Pues porque no tiene teléfono en la celda y la cárcel está muy lejos de aquí. Un día quise hablar con él. Llamé y hablé con un guardia y él me dijo que Juan no quería hablar conmigo. Yo me enfadé. "¿Cómo es posible?"—dije. "Hoy es sábado —me contestó el guardia— y los sábados por la mañana Juan estudia inglés y entonces no quiere hablar con nadie".

**C.** a-5; b-7; c-2; d-8; e-3; f-4; g-9; h-6; i-1.

**D.** 1-h; 2-f; 3-e; 4-d; 5-a; 6-g; 7-b; 8-c.

**E.** R.L.

**F.** R.L.

## La trampa

**A.** 1. *toda*; 2. *todo*; 3. *Todos*; 4. *toda*; 5. *todos*; 6. *todas*; 7. *todo*; 8. *Todo.*

**B.** 1. *está*; 2. *está*; 3. *está*; 4. *está*; 5. *es*; 6. *está*; 7. *somos*; 8. *es*; 9. *está*; 10. *estuvo*; 11. *estaba*; 12. *estaba.*

**C.** R.L.

**D.** 1. *vaciar*; 2. *colocar*; 3. *silencio*; 4. *aldea*; 5. *arrepentido*; 6. *guía*; 7. *pozo*; 8. *par*; 9. *cruzar*; 10. *huelga*; 11. *plata*; 12. *docena.*

**E.** R.L.

**F.** R.L.

## El parque

**A.** a. 2; b. 5; c. 4; d. 3; e. 2; f. 4; g. 2.

**B.** *oía; oyó; estaban; hacía; dejó; colocó; había; se acercó; había; se puso; cogió; salió; cruzaba; cruzó; tenía.*

**C.** 1. *doble;* 2. apenas*;* 3. *haya;* 4. *pasos;* 5. *enrolló;* 6. *cruzaba;* 7. *atrevió;* 8. *presentimiento;* 9. *desnudas;* 10. *espesa;* 11. *espaldas;* 12. *ligeramente;* 13. *ocultaba;* 14. *apretó.*

**D.** 1-e (c); 2-c; 3-g; 4-f; 5-j; 6-b; 7-i (c; d); 8-a; 9-d, 10-h (g).

**E.** 1. *siento, sentimos*; 2. *sintió, sentimos*; 3. *sentían, sentíamos*; 4. *sintió, sentí*; 5. *Sentiría.*

**F.** 1. *las*; 2. *lo*; 3. *la*; 4. *le*; 5. *se lo*; 6. *lo*; 7. *se lo*; 8. *me lo*; 9. *se lo*; 10. *le.*

**G.** R.L.

**H.** R.L.

## Suerte

**A.** 1. *pases;* 2. *salgas;* 3. *digas;* 4. *te levantes;* 5. *grites;* 6. *pagues;* 7. *escribas.*

**B.** Yo, cuando *oigo* el despertador, *hago* el café, *salgo* de casa, *vengo* aquí y *traigo* los décimos. ¿Vale?

**C.** 1. *algo*; 2. *nada*; 3. *algo, Alguien, nadie (nada)*; 4. *algo*; 5. *nada*; 6. *algún*; 7. *ninguno*; 8. *alguno*; 9. *ningún.*

**D.** 1-f; 2-i; 3-a; 4-h; 5-c; 6-g; 7-d; 8-b; 9-e.

**E.** 1. *pescado*; 2. *explicación*; 3. *controlar*; 4. *recordar*; 5. *sueño*; 6. *vista*; 7. *información*; 8. *viaje*; 9. *sorteo*; 10. *subir*; 11. *salir.*

**F.** 1. *conozco*; 2. *pertenezco*; 3. *conduzco*; 4. *conocemos, conozco, conozco.*

**G.** R.L.

**H.** R.L.

**I.** R.L.

## El vendedor de mariposas

**A.** 1. *empezó*; 2. *tendida*; 3. *tocó*; 4. *en silencio*; 5. *decidieron*; 6. *correctamente*; 7. *hacía*; 8. *de opinión*; 9. *soplara.*

**B.** 1. *puso, salió, Era, iba, llevaba, era, se acercó, tocó*; 2. *abrió, estaba (estuvo), abrió, Eran, se movían*; 3. *Pasaron, divertía, decían (dijeron, si pensamos que lo dijeron sólo una vez), se pasaban, estudiaban*; 4. *se presentaron, estaba, vieron, cabía.*

**C.** 1-a; 2-c; 3-g; 4-i; 5-b; 6-e; 7-d; 8-f; 9-h.

**D.** 1. *tenga, compraré;* 2. *den, iré;* 3. *llueva, entraré;* 4. *vengas, cenaremos;* 5. *lleguemos, tomaremos.*

**E.** 1. *está leyendo;* 2. *sigo trabajando;* 3. *continúa estudiando;* 4. *llevamos viviendo;* 5. *va subiendo;* 6. *pasan, mirando.*

## La bomba

**A.** 1. *luz*; 2. *ruido*; 3. *llamas*; 4. *instante;* 5. *despavorida;* 6. *escape;* 7. *cascote;* 8. *bomberos;* 9. *humo;* 10. *lágrimas.*

**B.** 1. *conocimiento;* 2. *suelo;* 3. *indicios;* 4. *en llamas;* 5. *socorro;* 6. *vida;* 7. *gritos.*

**C.** 1. *tuviera;* 2. *fuera;* 3. *compró;* 4. *entrara;* 5. *llamara;* 6. *vivió;* 7. *hiciera;* 8. *había;* 9. *leyera;* 10. *vinieran;* 11. *subiera.*

**D.** *oyó; aparecieron; había; conocía; eran; vivían; llegó; dijo; teníamos; se acercó; estaba; abrió; se desprendió; cayó; preguntó; era; me llamaba; dije; vivía; estaba; entró; salía; salió; dijo; había.*

**E.** R.L.

**F.** R.L.

## Aprenda a hablar con los búhos en quince días

**A.** 1. *cierra, cierres*; 2. *oye, oigas*; 3. *siéntese, se siente*; 4. *compra, compres*; 5. *haz, hagas*; 6. *poned, pongáis*; 7. *venid, vengáis*; 8. *di, digas*; 9. *elige, elijas*; 10. *siga, siga*; 11. *vístete, te vistas*; 12. *lávate, te laves*; 13. *bañaos, os bañéis*; 14. *levantaos, os levantéis*.

**B.** Tiene que usar el subjuntivo cuando las frases empiezan con estas palabras:

1. *Creo que*; 5. *He visto que*; 7. *Me han dicho que* (en el sentido de "han afirmado que"); 9. *Dicen que* (en el sentido de "han afirmado que"); 15. *Sé que*; 20. *Me imagino que*.

Las formas del subjuntivo son: a. *haga*, b. *hable*, c. *esté*, d. *siga*, e. *imite*, f. *leas*, g. *venda*, h. *hagas*, i. *engañe* (*engañen, engañes*), j. *escuches*, k. *oigáis*, l. *estés*, m. *pueda*, n. *ponga*, ñ. *veas*, o. *salga*, p. *digas*.

**C.** R.L.

**D.** R.L

## El final

**A.** 1-e; 2-c; 3-a; 4-f; 5-b; 6-d.

**B.** 1. *parece* (ind.); 2. *sea* (subj.); 3. *diga* (subj.); 4. *escribo* (ind.); 5. *sea* (subj.), *quieras* (subj.); 6. *guste* (subj.); 7. *prefiere* (ind.); 8. *caminan* (ind.); 9. *corras* (subj.); 10. *fumes* (subj.); 11. *gusta* (ind.).

**C.** 2. se lo; 3. se lo; 4. Te las; 5. se la; 6. se las; 7. os lo.

**D.** **Horizontales**: Velocidad, editorial, acelerador, rosa.

**Verticales**: Ventanilla, escena, correr, humo, párrafos, página, editor, colilla, fumar, freno.

**E.** R.L.

**F.** R.L.

## Amigos

**A.** *pasamos; conocimos; jugábamos; hablábamos; pudimos/podíamos; invité; gustaba; hablaba; escribí; eché; volví.*

**B.** 1. *haría*; 2. *podría*; 3. *vendrían*; 4. *iría*; 5. *quedarían*; 6. *llovería*; 7. *escribiría*; 8. *pediría*; 9. *pondría*.

**C.** 1-c, 2-e, 3-j, 4-a, 5-i, 6-l, 7-k, 8-b, 9-g, 10-d, 11-h, 12-f.

**D.** 1. *está*; 2. *son*; 3. *es, está*; 4. *es*; 5. *es, está*; 6. *estás*; 7. *es*; 8. *estoy*; 9. *es, está*; 10. *eres, estoy.*

**E.** R.L.

**F.** R.L.

## El aval

**A.** R.L.

**B.** 1-i; 2-e; 3-l; 4-a; 5-b; 6-j; 7-d; 8-k; 9-f; 10-g; 11-h; 12-c.

**C.** 1. *enviaras-podría*; 2. *tomaras-tendrías*; 3. *me escondiera-encontrarían*; 4. *estudiaras-hablarías*; 5. *viviéramos-tendríamos*; 6. *se quedara-podría*; 7. *hablaras-oiría*; 8. *quisieras-agradecería*; 9. *hiciera-habría*; 10. *llamaras-solucionaría*; 11. *pidieras-perdonaría.*

**D.** 1. *soy yo*; 2. *¿De parte de quién?*; 3. *Soy*; 4. *Le llamo por*; 5. *Que yo sepa*; 6. *Se trata.*

**E.** 1. en; 2. para; 3. a; 4. de; 5. por; 6. de; 7. de; 8. de; 9. de; 10. con.

# El perro fiel

**A.** R.L.

**B.** 1. *clases*; 2. *sonido*; 3. *alquiler*; 4. *felicidad*; 5. *verja*; 6. *red*; 7. *pata*; 8. *notario, testamento.*

**C.** 1. *se siente, nos sentimos*; 2. *dice, digo, dices, decimos, digo*; 3. *encuentra, encontráis, encuentro.*

**D.** **1.** *Si la viuda no se casara* (él) *podría seguir en el piso*; **2.** *Si tuviera piso no se sentiría abandonado*; **3.** *Si tuviera herederos no dejaría su fortuna al Ayuntamiento*; **4.** *Si le tratara con cariño no le mordería*; **5.** *Si no hiciera frío iríamos a la piscina*; **6.** *Si tuvieran dinero harían un viaje*; **7.** *Si leyera los anuncios encontraría piso*; **8.** *Si tuviera ordenador trabajaría más.*

**E.** R.L.

**F.** R.L.

**G.** R.L.

**H.** R.L.

# La plaza

**A.** 1. *pasara - tardaría*; 2. *pusiera - entendería*; 3. *hiciera - sería*; 4. *supiera - se lo diría*; 5. *tuviera - compraría*; 6. *pudiera - iría*; 7. *fueran - compraría*; 8. *fuera - iría*; 9. *pidiera - dejaría.*

**B.** **1.** *Llegaba; se sentaba; solía; conocía; se sentaba; Eran; vivía;* **2.** *gustaba; pregunté; miraba; dijo; sabía; hacía; dijo; sabía; era;* **3.** *vino; hablé; dijo; estaba; quería;* **4.** *vino; Cayó; tuvieron; murió; conocí; mostró; reconocí; Era; tenía; llevaba.*

**C.** **HORIZONTALES: B.** Sonidos - emoc; **C.** Dificultad; **D.** Vi; **E.** Va - padrino; **F.** Temprano -dar; **G.** Rol - di - loco; **H.** Asoma - se; **I.** Marzo - RR; **J.** Aleluya.

**VERTICALES:** **1.** As - mi; **2.** Odiverta; **3.** Ni - amo; **4.** Nif - plaza; **5.** Dí - sol; **6.** Ocupado; **7.** Su - animal; **8.** Lado; **9.** Zet - ay; **10.** Maridos; **11.** Sod - nacer; **12.** Oro - ro.

**D.** 1. *hierro*; 2. *temprano*; 3. *carrito*; 4. *soleado*; 5. *pesado*; 6. *pies*; 7. *bastón*; 8. *pana*; 9. *orejas*; 10. *cesta*; 11. *orfanato.*

**E.** R.L.

**F.** R.L.

# Glosario

| | | | | | | |
|---|---|---|---|---|---|
| 40 | abandonado/a | abandoned | 34 | amarillento/a | yellowish |
| 64 | abeja, la | bee | 82 | amplio/a | spacious, broad |
| 20 | abogado/a, el/la | lawyer | 33 | ancho/a | wide |
| 50 | abrigo, el | coat | 40 | anciano/a, el/la | old man/woman |
| 105 | abrochar | to fasten | 24 | andar | to walk |
| 9 | aburrir(se) | to get bored | 70 | angustiado/a | distressed |
| 99 | acariciar to | caress | 25 | ánimo, el | spirit, energy |
| 8 | accidente, el | accident | 9 | antiguo/a | old, ancient |
| 81 | acción, la | action | 58 | anunciar | to announce |
| 82 | aceite, el | oil | 75 | anuncio, el | announcement |
| 25 | aceituna, la | olive | 63 | añadir | to add |
| 82 | acelerador, el | accelerator | 7 | aparato, el | device |
| 98 | acera, la | pavement | 99 | aparcar | to park |
| 14 | acercar(se) | to approach | 69 | aparecer | to appear |
| 14 | acompañar | to accompany | 34 | apartar | to remove |
| 57 | acordar(se) | to remember | 25 | aperitivo, el | aperitif |
| 56 | acostumbrado/a | used to | 94 | apoyar | to support |
| 94 | acreedor, el | creditor | 20 | aprender | to learn |
| 14 | acto, el | act | 50 | apretar | to squeeze |
| 19 | acuerdo, el | agreement | 40 | archivo, el | file |
| 8 | adelantar | to advance | 70 | arder | to burn |
| 24 | adivinar | to guess | 38 | argumento, el | argument |
| 25 | adivino/a, el/la | fortune-teller | 82 | arrancar | to pull, snatch |
| 20 | admiración, la | admiration | 70 | arrastrar | to drag |
| 20 | admirado/a | admired | 20 | arreglo, el | arrangement |
| 13 | adoquín, el | paving stone | 94 | arrepentimiento, el | regret |
| 40 | agachar(se) | to crouch | 44 | arrepentir(se) | to regret |
| 45 | agarrar | to grip, grasp | 40 | arrugado/a | wrinkled |
| 64 | agenda, la | diary, notebook | 14 | artificial | artificial |
| 45 | agitar | to wave, shake | 39 | asesinar | to murder |
| 50 | agradable | pleasant | 50 | asesinato, el | murder |
| 88 | ahorrar | to save | 38 | asesino/a, el/la | murderer |
| 106 | álbum, el | album | 40 | asomar(se) | to lean out of |
| 50 | alcanzar | to reach | 26 | asombrado/a | amazed |
| 44 | aldea, la | village | 94 | aspecto, el | appearance |
| 88 | alegrar | to cheer up, enliven | 39 | asunto, el | matter |
| | | | 57 | asustado/a | frightened |
| 34 | alegría, la | happiness, joy | 82 | atardecer, el | dusk |
| 26 | alejar(se) | to move away | 14 | atención, la | attention |
| 70 | alféizar, el | windowsill | 70 | atentado, el | assault, attempt |
| 14 | alfombra, la | carpet | 71 | atónito/a | astounded |
| 105 | alimentar(se) | to feed | 76 | atraer | to attract |
| 81 | almacén, el | warehouse, store | 15 | atrapar | to catch |
| 25 | almendra, la | almond | 14 | atrever(se) | to date |
| 25 | almendro, el | almond tree | 38 | atrevido/a | daring, bold |
| 76 | almohada, la | pillow | 64 | aumentar | to increase |
| 98 | alquiler, el | rent | 8 | ausencia, la | absence,lack/of |
| 8 | amable | kind, nice | 81 | autobiográfico/a | autobiographical |

| | | | | | | |
|---|---|---|---|---|---|---|
| 89 | autómata, el | robot | | 25 | calmar | to calm |
| 39 | autorización, la | authorisation | | 39 | camarero/a, el/la | waiter/waitress |
| 70 | auxilio, el | help, assistance | | 50 | cambiar | to change |
| 93 | aval, el | guarantee | | 13 | caminar | to walk |
| 33 | avanzar | to advance | | 45 | camino, el | path, way |
| 14 | aventura, la | adventure | | 44 | camioneta, la | light truck |
| 8 | aviación, la | aviation, air force | | 49 | campana, la | bell |
| 99 | avisar | to warn | | 49 | campanada, la | ringing (of bells) |
| 82 | aviso, el | warning | | 87 | campaña, la | campaign, season |
| 40 | ayudar | to help | | 25 | cana, la | white hair |
| 99 | ayuntamiento, el | town hall | | 14 | cansado/a | tired |
| 8 | azul | blue | | 63 | caoba, la | mahogany |
| 26 | bajar | to go down, lower | | 24 | capaz | capable |
| 70 | balcón, el | balcony | | 44 | capital, la | capital |
| 80 | banco, el | bank | | 81 | capítulo, el | chapter |
| 34 | bandeja, la | tray | | 64 | capullo, el | bud, flower bud |
| 94 | barba, la | beard | | 38 | carácter, el | character |
| 9 | barbaridad, la | barbarity | | 38 | cárcel, la | prison, jail |
| 7 | barra, la | bar | | 33 | cariño, el | affection |
| 50 | barrio, el | district | | 8 | cariñoso/a | affectionate |
| 105 | bastón, el | walking stick | | 15 | carnicero/a, el/la | butcher |
| 70 | basura, la | rubbish | | 104 | carrito, el | trolley |
| 25 | betún, el | shoe polish | | 98 | casar(se) | to get married |
| 81 | biblioteca, la | library | | 70 | cascote, el | rubble, debris |
| 8 | bien | good | | 20 | castigo, el | punishment |
| 89 | bloqueado/a | blocked | | 57 | casualidad, la | chance |
| 98 | bocadillo, el | roll sandwich | | 69 | catástrofe, la | catastrophe |
| 105 | boina, la | cap, beret | | 50 | causa, la | cause |
| 82 | bola, la | ball | | 39 | celda, la | prison cell |
| 14 | bolsillo, el | pocket | | 34 | centro, el | centre |
| 70 | bombero/a, el/la | fireman | | 89 | cerebro, el | brain |
| 8 | botón, el | button | | 45 | cerveza, la | beer |
| 40 | brisa, la | breeze | | 105 | cesta/o, la/el | basket |
| 105 | bronce | bronze | | 63 | chaleco, el | waistcoat |
| 20 | buen | good | | 88 | chalet, el | chalet |
| 50 | bufanda, la | scarf | | 105 | chaqueta, la | jacket |
| 75 | búho, el | owl | | 88 | chiste, el | joke |
| 8 | buscar | to look for | | 8 | chocar | to shock, crash |
| 88 | buzón, el | letter box | | 19 | chorizo, el | spicy sausage |
| 34 | cabecera, la | heading | | 81 | cigarrillo, el | cigarette |
| 64 | caber | to fit | | 33 | cintura, la | belt, waist |
| 50 | cadáver, el | corpse | | 50 | claridad | clearly |
| 88 | cadena, la | chain | | 25 | claridad, la | light, clarity |
| 8 | caer(se) | to fall down | | 9 | clarísimo/a | very clear |
| 44 | cafecito, el | small cup of coffee | | 34 | clavado/a | nailed |
| | | | | 70 | clavar | to nail |
| 40 | caída, la | fall | | 69 | clave | key |
| 134 | caja, la | box | | 76 | claxon, el | hooter, horn |
| 33 | cajita, la | small box | | 93 | cobrar | to collect |
| 105 | calar | to soak | | 94 | codo, el | elbow |
| 58 | calcular | to calculate | | 19 | coger | to take |

| 50 | cojear | to limp |
| 50 | cojera, la | limp |
| 14 | cojín, el | cushion |
| 57 | cola, la | queue, glue |
| 70 | colgado/a | hanging |
| 82 | colilla, la | cigarette end |
| 15 | collar, el | collar |
| 34 | colocar | to place |
| 70 | columna, la | column |
| 24 | comarca, la | area, shire |
| 8 | comentar | to comment |
| 24 | cómodo/a | comfortable |
| 63 | comparado/a | purchased |
| 33 | compartimiento, el | compartment |
| 100 | completo/a | complete |
| 104 | compra, la | shopping |
| 9 | comprar | to buy |
| 25 | comprender | to understand |
| 88 | compromiso, el | commitment |
| 75 | comunicar | to communicate |
| 70 | conciencia, la | conscience |
| 50 | concurrido/a | crowded |
| 39 | condena, la | conviction |
| 39 | condenado/a | convicted |
| 57 | conducir | to drive |
| 80 | conductor/a, el/la | driver |
| 57 | conejo, el | rabbit |
| 39 | confesar | to confess |
| 39 | confianza, la | trust, confidence |
| 39 | conocer | to know |
| 70 | conocimiento, el | knowledge |
| 20 | conseguir | to achieve |
| 20 | consejo, el | advice |
| 94 | consolar | to console |
| 39 | construir | to build |
| 14 | consumista | consumer |
| 40 | contacto, el | contact |
| 13 | contar | to count |
| 70 | contenedor, el | container |
| 105 | contener(se) | to contain oneself |
| 34 | contener | to contain |
| 32 | contenido, el | content |
| 8 | contestar | to reply, answer |
| 15 | continuar | to continue |
| 56 | controlar | to control |
| 39 | convencer | to convince |
| 76 | convencido/a | convinced |
| 8 | conversación, la | conversation |
| 25 | conversar | to converse |
| 7 | coñac, el | cognac |
| 25 | copa, la | glass, cup |

| 8 | copita, la | small glass |
| 50 | corazón, el | heart |
| 63 | corbata, la | tie |
| 13 | coronel, el | colonel |
| 50 | corpulento/a | well-built, burly |
| 58 | correcto/a | correct |
| 45 | correr | to run |
| 76 | correspondido/a | returned |
| 98 | cortado/a | cut |
| 63 | cortésmente | courteously |
| 88 | costa, la | coast |
| 15 | costilla, la | rib |
| 76 | costumbre, la | custom, habit |
| 15 | crecer | to grow |
| 8 | creer | to believe |
| 82 | cretino/a | cretinous |
| 14 | criado/a, el/la | servant |
| 70 | criatura, la | creature |
| 50 | crimen, el | crime |
| 88 | criticar | to criticise |
| 34 | crucifijo, el | crucifix |
| 50 | cruel | cruel |
| 15 | cruzar | to cross |
| 33 | cualidad, la | quality |
| 64 | cuarto, el | room |
| 33 | cuello, el | neck |
| 40 | cuenta, la | count, account |
| 25 | cuervo, el | crow |
| 8 | cuidado/a | looked after |
| 14 | cuidar | to look after |
| 32 | cumplir | to carry out |
| 57 | cuneta, la | ditch |
| 8 | curiosidad, la | curiosity |
| 106 | curioso/a | curious |
| 15 | cursi | in bad taste, vulgar |
| 39 | dar(se) | to give in |
| 104 | débil | weak |
| 63 | decidido/a | determined |
| 64 | decidir | to decide |
| 57 | décimo, el | tenth |
| 38 | decisivo/a | decisive |
| 82 | deformado/a | deformed |
| 8 | dejar | to leave |
| 95 | dejar(se) | to neglect oneself |
| 80 | delantero/a | front |
| 32 | deprimir | to depress |
| 20 | derecho, el | right |
| 38 | desagradable | unpleasant |
| 20 | desaparecer | to disappear |

| | | | |
|---|---|---|---|
| 39 | desaparecido/a | disappeared |
| 33 | desaparición, la | disappearance |
| 94 | desastre, el | disaster |
| 9 | descansar | to rest |
| 70 | desconocido/a | unknown |
| 76 | descubrir | to discover |
| 70 | desesperado/a | desperate |
| 32 | desfilar | to parade |
| 70 | desistir | to stop |
| 50 | desmayar(se) | to faint |
| 26 | despacho, el | office |
| 69 | despavorido/a | terrified |
| 87 | despedir(se) | to say goodbye |
| 94 | despeinado/a | dishevelled |
| 20 | despertar | to wake up |
| 93 | despistado/a | absent-minded |
| 64 | desplegar | to unfold |
| 70 | desprender | to unfasten |
| 24 | destino, el | destination |
| 39 | destituido/a | dismissed, deprived |
| 70 | destrozado/a | destroyed |
| 71 | destruir | to destroy |
| 57 | detalle, el | detail |
| 94 | deuda, la | debt |
| 9 | diablo, el | devil |
| 7 | diario, el | diary |
| 19 | diente, el | tooth |
| 64 | dificultad, la | difficulty |
| 8 | diminuto/a | diminutive |
| 33 | dinámico/a | dynamic |
| 8 | discutir | to discuss |
| 94 | disgusto, el | displeasure |
| 89 | disimular | to conceal, hide |
| 14 | disparo, el | shot |
| 26 | distancia, la | distance |
| 105 | distinguido/a | distinguished |
| 15 | distraer(se) | to amuse oneself |
| 64 | divertir(se) | to have fun |
| 7 | docena, la | dozen |
| 14 | doloroso/a | painful |
| 7 | dominó, el | dominoes |
| 81 | dramatismo, el | dramatism |
| 39 | droga, la | medicine, drugs |
| 57 | duda, la | doubt |
| 33 | dudar | to doubt |
| 14 | dueño/a, el/la | owner |
| 34 | echar(se) | to lie down |
| 25 | edad, la | age |
| 13 | edificio, el | building |
| 81 | editor/a, el/la | editor |

| | | | |
|---|---|---|---|
| 81 | editorial, la | publishing house |
| 33 | egocéntrico/a | self-centred |
| 82 | ejemplo, el | example |
| 34 | elástico/a | elastic |
| 8 | elecciones, las | elections |
| 15 | elegancia, la | elegance |
| 8 | elegante | elegant |
| 33 | embargar | to impede, seize |
| 7 | emigrar | to emigrate |
| 8 | emitir | to emit, issue |
| 15 | emoción, la | emotion,feeling |
| 76 | emocionado/a | deeply moved |
| 105 | emocionar | to move, excite |
| 8 | empezar | to begin |
| 25 | empleado/a | employed |
| 25 | empleo, el | job,employment |
| 33 | enamorado/a | in love |
| 81 | encargo, el | job, assignment |
| 33 | encender | to light, turn on |
| 40 | encerrado/a | enclosed, shutin |
| 14 | encontrar | to find |
| 105 | encorvado/a | curved |
| 99 | enfermedad, la | illness |
| 14 | enfermo/a | ill |
| 70 | enfurecido/a | furious |
| 76 | engañar | to deceive |
| 8 | enigmático/a | enigmatic |
| 76 | enmudecer | to silence |
| 71 | ennegrecido/a | to darken |
| 82 | enojar(se) | to get angry |
| 64 | enorme | enormous |
| 50 | enrollar(se) | to roll up |
| 100 | enseñar | to teach |
| 15 | ensimismamiento,el | absorption, reverie |
| 64 | ensuciar | to dirty |
| 98 | enterrar | to bury |
| 26 | entierro, el | burial |
| 45 | entrante | coming, next |
| 82 | entraña, la | core |
| 33 | entregar(se) | to surrender |
| 39 | entrevista, la | interview |
| 33 | envidia, la | envy |
| 33 | envuelto/a | wrapped up |
| 14 | época, la | age, period |
| 26 | equivocado/a | mistaken,wrong |
| 9 | equivocar(se) | to be mistaken |
| 8 | esbelto/a | slim, slender |
| 56 | escalera, la | stairway |
| 8 | escándalo, el | scandal |
| 100 | escapar | to escape |

| | | | | | | |
|---|---|---|---|---|---|---|
| 14 | escapar(se) | to escape | | 88 | felicitación, la | congratulation |
| 69 | escape, el | escape, leak | | 8 | ficha, la | token, counter |
| 99 | escarbar | to scratch, pick | | 70 | fiera, la | wild beast |
| 8 | escena, la | scene | | 33 | figura, la | figure |
| 76 | escéptico/a | sceptical | | 81 | fijo/a | fixed |
| 34 | escuela, la | school | | 24 | finca, la | property, estate |
| 105 | escultura, la | sculpture | | 13 | finísima/o | very thin |
| 70 | esfuerzo, el | effort | | 8 | fino/a | thin, fine |
| 8 | espalda, la | back | | 94 | firma, la | signature |
| 76 | espantar | to frighten | | 93 | firmar | to sign |
| 40 | esperanza, la | hope | | 82 | fondo, el | bottom, back |
| 20 | esperar | to wait, hope | | 104 | forjado/a | wrought, forged |
| 50 | espeso/a | thick | | 24 | forma, la | shape, form |
| 13 | esposa/o, la/el | husband/wife | | 56 | fortuna, la | fortune, luck |
| 76 | estafa, la | swindle | | 89 | forzado/a | forced |
| 33 | estómago, el | stomach | | 64 | frágil | fragile |
| 99 | estrecho/a | narrow | | 8 | frase, la | phrase |
| 57 | estrella, la | star | | 82 | fregar | to scrub |
| 39 | estremecedor/a | terrible | | 80 | frenar | to brake |
| 50 | estremecer(se) | to shake, tremble | | 82 | freno, el | brake |
| 33 | estrujar | to squeeze,press | | 19 | fresco/a | fresh |
| 44 | estupendo/a | stupendous | | 44 | frijol, el | kidney bean |
| 69 | eternidad, la | eternity, forever | | 25 | frito/a | fried |
| 14 | eutanasia, la | euthanasia | | 45 | frontera, la | frontier |
| 25 | evitar | to avoid | | 82 | fuego, el | fire |
| 80 | exagerar | to exaggerate | | 25 | fuerte | strong |
| 57 | exaltado/a | exalted | | 50 | fuerza, la | strength, force |
| 15 | excitar(se) | to get excited | | 7 | fumar | to smoke |
| 70 | excitado/a | excited | | 76 | funcionar | to function |
| 9 | exclamar | to exclaim | | 45 | furgoneta, la | van |
| 33 | excusa, la | excuse | | 58 | furioso/a | furious |
| 81 | exigente | demanding | | 25 | futuro, el | future |
| 13 | existir | to exist | | 7 | gallego/a, el/la | Galician |
| 82 | experiencia, la | experience | | 39 | gallina, la | chicken |
| 8 | explicación, la | explanation | | 20 | ganar | to win, earn |
| 39 | explicar | to explain | | 69 | gas, el | gas |
| 70 | explosión, la | explosion | | 94 | gastar | to spend |
| 25 | expresión, la | expression | | 19 | gato/a, el/la | cat |
| 33 | expresivo/a | expressive | | 50 | gesto, el | gesture |
| 33 | extraño/a | strange | | 64 | gigantesco/a | gigantic |
| 24 | fábrica, la | factory | | 105 | gitana/o, la/el | Gypsy man/ |
| 64 | fabricante, el | manufacturer | | | | woman |
| 15 | fallar | to fail | | 39 | gobierno, el | government |
| 33 | fallecer | to die | | 82 | golpe, el | knock |
| 94 | falsificar | to forge, falsify | | 34 | goma, la | rubber, gum |
| 38 | falta, la | lack, failure | | 82 | gota, la | drop |
| 39 | familiarizar(se) | to get to know | | 77 | gracia, la | grace, humour |
| 13 | famoso/a | famous | | 83 | grasa, la | grease, fat |
| 81 | fantasía, la | fantasy | | 50 | grave | serious, critical |
| 50 | farol/a, el/la | lamp, lantern | | 20 | graznido, el | squawk, croak |
| 105 | fascinar | to fascinate | | 45 | gringo/a, el/la | foreigner |

| 32 | gris | grey | 70 | indicio, el | indication, sign |
| 20 | gritar | to shout, cry out | 82 | inexperto/a | inexperienced |
| 20 | grito, el | cry | 33 | inexpresivo/a | inexpressive |
| 33 | grueso/a | thick | 106 | infancia, la | childhood |
| 44 | grupo, el | group | 57 | influencia, la | influence |
| 50 | guante, el | glove | 58 | informar | to inform |
| 33 | guardar | to guard, keep | 39 | ingresar | to deposit, |
| 39 | guardia, el/la | guard | | | come in |
| 45 | guía, el/la | guide | 33 | injusto/a | unjust, unfair |
| 8 | gustar | to taste, please | 45 | inmigración, la | immigration |
| 7 | habitante, el | inhabitant | 15 | insecticida, el | insecticide |
| 88 | habitual | habitual, usual | 64 | insecto,el | insect |
| 8 | hablar | to speak | 25 | inseguro/a | unsure |
| 14 | hambre, el | hunger | 50 | instante, el | instant |
| 39 | helar | to freeze | 50 | instintivo/a | instinctive |
| 100 | heredero/a, el/la | heir | 33 | instituto, el | institute, school |
| 34 | hermoso/a | beautiful | 76 | instrucción, la | instruction |
| 57 | herradura, la | horseshoe | 64 | intención, la | intention |
| 57 | hielo, el | ice | 70 | intensidad, la | intensity |
| 64 | hierro, el | iron | 8 | intenso/a | intense |
| 70 | histérico/a | hysterical | 40 | intentar | to try |
| 13 | historia, la | history, story | 87 | intercambiar | to exchange |
| 81 | hogar, el | home | 45 | interés, el | interest |
| 32 | hoja, la | sheet, leaf | 82 | interior, el | interior |
| 7 | hombre, el | man | 25 | invitar | to invite |
| 50 | horrendo/a | horrendous | 8 | ir(se) | to go |
| 70 | horroroso/a | awful, horrifying | 82 | irritar(se) | to get irritated |
| 45 | huelga, la | strike | 15 | jabón, el | soap |
| 88 | huésped, el | guest | 38 | jefe/a, el/la | boss |
| 94 | huir | to flee | 25 | jerez, el | sherry |
| 20 | humano/a | human | 24 | jubilado/a | retired |
| 83 | humillar(se) | to humble oneself | 7 | jugar | to play |
| 70 | humo, el | smoke | 8 | junto/a | together |
| 13 | humor, el | mood, humour | 20 | justicia, la | justice |
| 34 | hundido/a | sunken,destroyed | 33 | justificar | to justify |
| 33 | idea, la | idea | 82 | labor, la | work |
| 20 | igual | equal | 33 | lacio/a | withered, lank |
| 14 | iluminado/a | illuminated, lit | 100 | ladrar | to bark |
| 69 | iluminar | to illuminate | 76 | ladrido, el | barking |
| 76 | ilusión, la | illusion | 71 | lagrima, la | tear |
| 33 | imagen, la | image | 50 | latir | to beat |
| 75 | imitar | to imitate | 64 | lavado/a | washed |
| 70 | impedir | to prevent | 82 | lavar | to wash |
| 71 | imperceptible | indiscernible | 49 | lavavajillas, el | dishwasher |
| 14 | imposible | impossible | 45 | lechuga, la | lettuce |
| 26 | impresionado/a | impressed | 76 | lejano/a | distant |
| 89 | improvisado/a | improvised | 25 | lenguaje, el | language |
| 70 | impulso, el | impulse | 40 | lento/a | slow |
| 40 | incomunicado/a | isolated | 40 | letra, la | letter |
| 57 | incrédulo/a | incredulous | 50 | levantado/a | raised |
| 15 | independiente | independent | 40 | levantar | to lift, raise |

| | | | | | | |
|---|---|---|---|---|---|---|
| 8 | levantar(se) | to get up | | 64 | mayor | main, greater |
| 15 | libre | free | | 57 | medalla, la | medal |
| 40 | ligero/a | light | | 8 | mediano/a | medium |
| 81 | límite, el | limit | | 7 | medio/a | half, average |
| 82 | limpiar | to clean | | 87 | mediocre | mediocre |
| 82 | líquido, el | liquid | | 14 | mejor | better |
| 20 | listo/a | ready, clever | | 33 | melancolía, la | melancholy |
| 81 | literario/a | literary | | 32 | melancólico/a | melancholic |
| 69 | llama, la | flame | | 104 | mercado, el | market |
| 14 | llamar | to call | | 34 | merendar | to have tea |
| 8 | llegar | to arrive | | 45 | mesera/o, la/el | waitress/waiter |
| 57 | llenar | to fill | | 100 | metal, el | metal |
| 64 | lleno/a | full | | 58 | meter | to put |
| 8 | llevar | to take | | 70 | metido/a | involved |
| 14 | llevar(se) | to carry off | | 39 | método, el | method |
| 82 | llover | to rain | | 50 | miedo, el | fear |
| 82 | lluvia, la | rain | | 64 | miel, la | honey |
| 40 | localizar | to locate | | 64 | minúsculo/a | tiny |
| 40 | loco/a, el/la | lunatic | | 14 | mirada, la | look |
| 39 | lograr | to achieve, get | | 94 | miramiento, el | consideration |
| 57 | lotería, la | lottery | | 33 | mirar(se) | to look at oneself |
| 49 | loza, la | crockery | | 33 | misal, el | missal |
| 70 | luchar | to fight | | 20 | mitad, la | half |
| 26 | lugar, el | place | | 9 | modelo, el/la | model |
| 7 | madera, la | wood | | 13 | mojado/a | wet |
| 58 | mal | bad | | 15 | molestar | to annoy, bother |
| 63 | maleta, la | suitcase | | 15 | momento, el | moment |
| 83 | maligno/a | evil | | 20 | mono/a, el/la | monkey |
| 81 | malo/a | bad | | 98 | monólogo, el | monologue |
| 15 | maloliente | stinking, smelly | | 105 | moño, el | hair bun |
| 25 | mancha, la | stain, spot | | 99 | morder | to bite |
| 57 | maniobra, la | manoeuvre | | 7 | morir | to die |
| 14 | mano, la | hand | | 100 | mostrar | to show |
| 34 | mantener | to maintain | | 106 | mostrar(se) | to show oneself |
| 76 | manual, el | manual | | 14 | mover(se) | to move |
| 82 | manuscrito, el | manuscript | | 8 | móvil, el | motive |
| 9 | máquina, la | machine | | 14 | mueble, el | piece of furniture |
| 64 | maravillado/a | astonished | | 25 | muerte, la | death |
| 33 | marcado/a | marked | | 8 | muerto/a, el/la | dead man/woman |
| 39 | marchar(se) | to leave | | 34 | nácar, el | mother of pearl |
| 15 | marear(se) | to feel sick | | 105 | necesidad, la | need |
| 14 | marido, el | husband | | 26 | necesitar | to need |
| 105 | marino/a, el/la | sailor | | 64 | néctar, el | nectar |
| 64 | mariposa, la | butterfly | | 38 | negar(se) | to refuse to |
| 82 | marítimo/a | maritime | | 24 | negocio, el | business |
| 7 | mármol, el | marble | | 8 | nervioso/a | nervous |
| 71 | máscara, la | mask | | 75 | nevar | to snow |
| 80 | matar(se) | to kill (oneself) | | 50 | niebla, la | fog |
| 39 | material, el | material | | 69 | nitidez | brightness, clarity |
| 57 | matrícula, la | registration number | | 33 | normal | normal |
| | | | | 44 | norte, el | north |

| | | | |
|---|---|---|---|
| 8 | notar | to notice, note down | |
| 100 | notario/a, el/la | notary | |
| 8 | noticia, la | news | |
| 81 | novela, la | novel | |
| 33 | novio/a, el/la | boyfriend / girl friend | |
| 44 | objeto, el | object | |
| 88 | obligación, la | obligation | |
| 14 | obligar | to oblige | |
| 106 | obra, la | work | |
| 82 | obstáculo, el | obstacle | |
| 25 | ocultar | to hide, conceal | |
| 104 | ocupado/a | busy, occupied | |
| 8 | ocurrir | to happen | |
| 39 | oficina, la | office | |
| 44 | ofrecer | to offer | |
| 8 | oír | to hear | |
| 20 | olivo, el | olive | |
| 45 | olvidar | to forget | |
| 64 | opinión, la | opinion | |
| 15 | oreja, la | ear | |
| 105 | orfanato, el | orphanage | |
| 13 | orilla, la | bank, shore | |
| 45 | oscurecer | to get dark | |
| 50 | oscuridad, la | darkness | |
| 76 | paciencia, la | patience | |
| 24 | pagado/a | paid | |
| 45 | pagar | to pay | |
| 81 | página, la | page | |
| 32 | paisaje, el | landscape | |
| 14 | palacio, el | palace | |
| 94 | pálido/a | pale | |
| 94 | paliza, la | beating | |
| 25 | palma, la | palm, palm tree | |
| 105 | pana, la | corduroy | |
| 45 | pañuelo, el | handkerchief | |
| 70 | papelera, la | litter bin | |
| 76 | parada, la | (bus) stop | |
| 82 | paraguas, el | umbrella | |
| 82 | paralelo/a | parallel | |
| 89 | paralizado/a | paralised | |
| 82 | parar | to stop | |
| 8 | parecer | to seem | |
| 64 | pared, la | wall | |
| 87 | pareja, la | couple, pair | |
| 13 | pariente, el | relative | |
| 82 | párrafo, el | paragraph | |
| 20 | parte, la | part | |
| 98 | particular | particular | |
| 8 | partido/a, el/la | party | |

| | | | |
|---|---|---|---|
| 20 | partir | to leave | |
| 87 | pasado/a | passed | |
| 13 | pasar | to pass,happen | |
| 14 | pasear | to stroll | |
| 13 | paseo, el | stroll, parade | |
| 13 | paso, el | pass | |
| 19 | pata, la | foot, leg | |
| 64 | patio, el | patio | |
| 25 | patrón/a, el/la | patron, master | |
| 57 | pavimento, el | pavement | |
| 70 | pavor, el | dread | |
| 82 | peatón/a, el/la | pedestrian | |
| 8 | pedir | to ask | |
| 33 | pegado/a | stuck | |
| 94 | pegar | to hit, stick | |
| 20 | pelea, la | fight | |
| 99 | peligro, el | danger | |
| 38 | peligroso/a | dangerous | |
| 15 | peluquero/a, el/la | hairdresser | |
| 14 | pena, la | grief | |
| 33 | pendiente, el | earring | |
| 20 | pensar | to think | |
| 26 | pensativo/a | thoughtful | |
| 7 | pensión, la | pension, guest-house | |
| 14 | perder | to lose | |
| 83 | perdido/a | lost | |
| 95 | perdón, el | forgiveness | |
| 93 | perdonar | to forgive | |
| 88 | pereza, la | laziness | |
| 69 | perfecto/a | perfect | |
| 40 | permanecer | to remain | |
| 15 | perrero/a, el/la | dog catcher | |
| 14 | persa | Persian | |
| 44 | personal | personal | |
| 57 | pertenecer | to belong | |
| 88 | pesado/a | heavy | |
| 64 | peso, el | weight | |
| 14 | piadoso/a | pious, merciful | |
| 9 | piedra, la | stone | |
| 26 | piso, el | flat | |
| 57 | placa, la | plate | |
| 39 | planear | to plan | |
| 57 | planeta, el | planet | |
| 70 | planta, la | plant, floor (building) | |
| 33 | plata, la | silver | |
| 25 | plato, el | dish, plate | |
| 33 | playa, la | beach | |
| 33 | plaza, la | square | |
| 94 | plazo, el | place | |

| | | | | | | |
|---|---|---|---|---|---|---|
| 32 | plomizo/a | leaden | 81 | quehacer, el | job, task |
| 14 | pobre | poor | 57 | quejar(se) | to complain |
| 8 | poder | to be able to | 33 | querido/a | dear, beloved |
| 45 | policía, la | police | 26 | quieto/a | still, calm |
| 81 | policiaco/a | police | 83 | rabia, la | fury, rage |
| 15 | polvo, el | dust | 7 | radio, la | radio |
| 15 | poner(se) | to put on, become | 25 | rama, la | branch |
| 49 | portada, la | doorway/title page | 15 | rascar(se) | to scratch (oneself) |
| 64 | posar(se) | to pose | 33 | rasgo, el | feature |
| 50 | posible | possible | 99 | rata, la | rat |
| 82 | poste, el | post | 20 | rato, el | while, short time |
| 45 | pozo, el | well | 104 | rayo, el | ray, lightning |
| 34 | precioso/a | precious, beautiful | 13 | raza, la | race |
| | | | 9 | razón, la | reason, motive |
| 24 | predecir | to predict | 83 | reaccionar | to react |
| 33 | preferido | preferred | 81 | real | real |
| 15 | preferir | to prefer | 33 | realidad, la | reality |
| 8 | preguntar | to ask | 98 | realquilado/a | sublet |
| 57 | premio, el | prize | 63 | recibidor, el | receiver |
| 8 | preocupado/a | worried | 32 | recibir | to receive |
| 44 | preparar | to prepare | 40 | recoger | to collect, gather |
| 64 | presentar | to present | 26 | recomendar | to recommend |
| 50 | presentimiento, el | thought | 40 | reconocer | to recognise |
| 93 | préstamo, el | loan | 14 | recordar | to remember |
| 20 | prestigio, el | prestige | 58 | recorrer | to go over |
| 82 | previo/a | prior | 34 | recorte, el | cutting |
| 34 | prima/o, la/el | cousin | 33 | recuerdo, el | memory, souvenir |
| 76 | principio, el | beginning/principle | 70 | recuperar | to recover |
| | | | 99 | red, la | net, network |
| 82 | prisa, la | hurry, haste | 15 | reflejo, el | reflection |
| 45 | problema, el | problem | 33 | refresco, el | soft drink |
| 105 | procurar | to try to | 77 | regalar | to give, present |
| 24 | producir | to produce | 58 | regresar | to return |
| 33 | profundo/a | deep | 32 | releer | to reread |
| 87 | prometer | to promise | 76 | repasar | to go over, check |
| 44 | propiedad, la | property | 33 | repentino/a | sudden |
| 24 | propio/a | own | 99 | repetir | to repeat |
| 33 | proporcionado/a | provided, proportionate | 82 | resbalar | to slip |
| | | | 75 | resignación, la | resignation |
| 76 | propósito, el | purpose | 25 | resistir | to resist |
| 64 | protesta, la | protest | 38 | resistir(se) | to refuse to |
| 19 | protestar | to protest | 25 | respetar | to respect |
| 40 | psiquiátrico/a | psychiatric | 20 | respeto, el | respect |
| 81 | público, el | public | 81 | responsabilizar | to make responsible |
| 7 | pueblo, el | town | | | |
| 82 | puerto, el | port | 13 | retirado/a | repeated, retired |
| 15 | pulga, la | flea | 8 | retrasar(se) | to retire, retreat |
| 8 | pulsar | to press | 7 | reunir(se) | to meet |
| 70 | punta, la | point | 24 | reunir | to meet |
| 39 | quedar(se) | to stay, remain | 58 | revés, el | back, other side |

125

| | | | |
|---|---|---|---|
| 13 | revista, la | magazine | |
| 14 | rico/a | rich | |
| 15 | riesgo, el | risk | |
| 15 | robar | to steal | |
| 7 | rodeado/a | surrounded | |
| 104 | rodear | to surround, circle | |
| 26 | rogar | to beg, plead, ask | |
| 64 | romper(se) | to break | |
| 8 | ropa, la | clothing | |
| 33 | rostro, el | face | |
| 8 | rubio/a | blond | |
| 8 | ruido, el | noise | |
| 88 | rutina, la | routine | |
| 13 | saber | to know | |
| 76 | sabio/a | wise | |
| 8 | sacar | to take out | |
| 99 | sacrificar | to sacrifice | |
| 93 | sacristán, el | verger, sacrist(an) | |
| 69 | sacudida, la | shake, shock | |
| 25 | salón, el | living room | |
| 15 | saltar | to jump | |
| 25 | saludar | to greet | |
| 8 | saludar(se) | to greet (one another) | |
| 15 | salvar | to save | |
| 39 | sangre, la | blood | |
| 57 | santo/a, el/la | saint | |
| 39 | secreto, el | secret | |
| 14 | seda, la | silk | |
| 20 | seguir | to follow | |
| 82 | seguridad, la | security, safety | |
| 26 | seguro/a | safe, secure | |
| 88 | sello, el | stamp | |
| 40 | sensato/a | sensible | |
| 8 | sentar(se) | to sit down | |
| 34 | sentar | to sit | |
| 15 | sentir | to feel | |
| 82 | señal, la | signal | |
| 81 | serie, la | series | |
| 25 | serio/a | serious | |
| 25 | servir | to serve | |
| 82 | siglo, el | century | |
| 57 | significar | to mean | |
| 39 | siguiente, el/la | next | |
| 8 | silencio, el | silence | |
| 39 | sinceridad, la | honesty | |
| 76 | sistema, el | system | |
| 9 | sitio, el | place | |
| 82 | sobre, el | envelope | |
| 70 | sobrehumano/a | superhuman | |

| | | |
|---|---|---|
| 34 | sobresalir | to stick out, overhand |
| 70 | sobrevivir | to survive |
| 70 | socorro, el | help, aid |
| 75 | sofá, el | sofa |
| 104 | soleado/a | sunny |
| 33 | solo/a | alone, single |
| 94 | solución, la | solution |
| 94 | solucionar | to resolve |
| 20 | sombra, la | shadow |
| 8 | sombrero, el | hat |
| 82 | someter(se) | to undergo, submit |
| 14 | sonar | to sound |
| 8 | sonido, el | sound |
| 8 | sonrisa, la | smile |
| 57 | soñar | to dream |
| 64 | soplar | to blow |
| 14 | soportar | to endure, support |
| 34 | sorprender | to surprise |
| 57 | sorteo, el | raffle |
| 39 | sospechar | to suspect |
| 50 | suave | soft |
| 64 | succionar | to suck |
| 39 | suceder | to happen |
| 13 | sucio/a | dirty |
| 19 | suculento/a | succulent |
| 98 | sueldo, el | wage |
| 19 | suelo, el | floor |
| 15 | suerte, la | luck |
| 14 | sufrir | to suffer |
| 34 | sujetado/a | fastened, secured |
| 94 | superficie, la | surface |
| 57 | superstición, la | superstition |
| 25 | supersticioso/a | superstitious |
| 82 | suspiro, el | sigh |
| 50 | tambalear(se) | to stagger, reel |
| 34 | tapa, la | cover, snack |
| 14 | tapar(se) | to cover (oneself) |
| 45 | tardar | to take a long time |
| 63 | tarjeta, la | card |
| 71 | techo, el | ceiling |
| 64 | tejado, el | roof |
| 8 | tema, el | subject, theme |
| 40 | tembloroso/a | trembling |
| 64 | tendido/a | hung, lying down |
| 25 | teñir | to dye |
| 33 | terraza, la | terrace |

| | | | | | | |
|---|---|---|---|---|---|---|
| 69 | terrible | terrible | | 57 | velocidad, la | speed |
| 70 | terrorista | terrorist | | 94 | vencido/a | defeated |
| 100 | testamento, el | will | | 64 | vender | to sell |
| 82 | texto, el | text | | 8 | venir | to come |
| 87 | tienda, la | shop | | 32 | ventanilla, la | small window |
| 24 | tierra, la | land, earth | | 20 | verdad, la | truth |
| 64 | timbre, el | stamp, doorbell | | 64 | verja, la | gate |
| 63 | tímido/a | timid | | 105 | vestido/a | dressed, clothed |
| 9 | tipo, el | type | | 8 | vestido, el | dress |
| 77 | titular | official, entitled | | 15 | veterinario/a, el/la | vet |
| 8 | titular, el | headline | | 58 | viajar | to travel |
| 56 | tocar | to touch | | 33 | vidrio, el | glass |
| 44 | tortilla, la | omelette | | 7 | viejo/a, el/la | old |
| 81 | toser | to cough | | 50 | viento, el | wind |
| 81 | traducir | to translate | | 71 | viga, la | beam |
| 40 | traer | to bring | | 24 | vino, el | wine |
| 32 | tráfico, el | traffic | | 26 | viña, la | vineyard |
| 63 | traje, el | suit | | 70 | violencia, la | violence |
| 7 | tranquilo/a | calm | | 70 | violento/a | violent |
| 82 | transformar | to transform | | 57 | virgen, la | virgin |
| 39 | trasladar | to transfer | | 9 | visita, la | visit |
| 20 | tratar(se) | to treat one another, to be about | | 40 | visitar | to visit |
| | | | | 26 | vista, la | view |
| 56 | tratar | to treat | | 64 | vistoso/a | attractive |
| 20 | tribunal, el | court, tribunal | | 98 | viuda/o, la/el | widow/widower |
| 33 | tristeza, la | sadness | | 7 | vivir | to live |
| 99 | trozo, el | piece | | 45 | volar | to fly |
| 33 | túnel, el | tunnel | | 57 | volcado/a | overturned |
| 9 | turista, el/la | tourist | | 58 | volcar | to overturn |
| 76 | ulular | to howl, shriek | | 58 | volumen, el | volume |
| 7 | único/a | sole, only, single, unique | | 33 | volver(se) | to become, turn round |
| 25 | usar | to use | | 39 | volver | to return |
| 33 | utilizar | to use | | 15 | vomitar | to vomit |
| 44 | vaciar | to empty | | 8 | voz, la | voice |
| 99 | vagabundo/a, el/la | tramp, vagrant | | 82 | vuelta, la | revolution, turn |
| 98 | vajilla, la | crockery, dishes | | 33 | vulgar | vulgar |
| 94 | valorar | to value | | 40 | zigzaguear | to zigzag |